KB143196

배우의 상상력으로

희곡읽기

희곡 읽기

배우적 상상력으로

How to Read Scripts from the Actor's Perspective

김준삼 지음

도서출판 | 동인

"배우는 대본을 해석하는 예술가이다."

— 스텔라 애들러

배우적 상상의 확산을 꿈꾸며

늘 궁금했다. 세상에 저렇게 많은 배우들이 있는데, 왜 배우들이 쓴 대본에 대한 이야기는 없는 것일까? 왜 대본에 대한 이야기는 늘 학자나 비평가, 연출들에 의해 이루어지는 것일까? 분명 배우들은 연출들이나 학자들과는 다른 생각과 상상을 하는 존재일 텐데, 왜 배우의 상상에 근거한 대본 읽기는 찾기 어려운 것일까? 자신의 요리 비법을 타인에게 알려주지 않는 요리사들처럼, 배우들도 자신들만의 연기 비법이 다른 이들에게 알려지기를 원치 않아서일까? 배우의 수가 많은 만큼 대본을 읽는 사람들도 수적으로 배우들이 훨씬 더 많을 텐데, 왜 배우들에 의한, 배우를 위한 대본 읽기에 관한 글이나 책을 찾을 수 없을까? 배우들은 원래부터 대본을 어떻게 읽는지 알고 있는 것일까?

가만히 생각해보면, 거의 대부분의 배우들은 대본을 어떻게 읽어야 하는가에 대한 교육이나 훈련을 제대로 받지 않은 상태로 연기를 시작한다. 마치 대본을 읽는 능력은 원래 갖고 태어나거나 애초에 배울 필요가 없는 것처럼 말이다. 대본이라는 것이 거의 사람의 말로만 되어 있으니, 말을 잘하기만 하면 대본을 이해하고 소화하는 데에는 별로 문제가 없는 것처럼 말이다. 그러다 보니, 실제 작업 현장에서 대본분석은 여러 예술가들이 서로의 안목과 상상을 공유하고 논의하고 새로운 상상을 도출하는 식으로 이루어지기보다는 연출과 드라마투르그로부터 일방적으로 배우에게 전달되는 경우가 많다. 배우 스스로 대본에 대해 독자적인 상상을 할 수 있는 존재가 되기 전까지는 이와 같은 상황은 개선되지 못할 것이다.

대본은 작가적 상상의 결정체로서 특별한 극세계와 그 속을 살아가는 인물들의 비범한 언행을 기록하고 있으며, 고유한 극적 구조와 언어와 스타일로 구현되어 있다. 좋은 대본은 그 자체로 문학적 완결성과 예술성을, 그리고 보다 중요하게 세상과 인간과 삶에 대한 깊고 넓은 통찰을 담고 있다. 하지만 대본은 태생적으로 공연을 전제로 한 것이기에 미완성의 예술작품으로서, 작가적 상상이 특별한 방식으로 압축되어 있고, 한 사람이 아니라 많은 사람들의 집단적 상상에 의해 압축해제가 되기를 기다리고 있다. 작가적 상상이 온전히 펼쳐지기 위해서는 연출가와 배우, 디자이너, 작곡가, 안무가 등이 모두 자신만의 특별한 상상의 방식으로 대본을 해독해야 한다.

필자의 경우에는 대학과 대학원에서 극문학을 전공했다. 그 덕분에 나중에 배우훈련을 받는 과정에서 대본을 읽고 이해하는 데에 큰 어려움이 없었다. 기존에 나 자신이 갖고 있던 대본 독법과 배우로서의 독법이 무척 다르다는 사실이 흥미진진했고, 전에는 대본에서 이해가 되지 않고 알 수 없던 많은 부분들이 배우적 상상을 통해서 이해 가능해지는 것을 보고 놀라지 않을 수 없었다. 그런데 만약 내가 극문학을 전공하지 않은 채로 배우훈련에 임했더라면 어땠을까? 과연 내가 대본을 잘 이해하고 그로부터 연기를 잘할 수 있었을까? 그렇지 못했을 것 같다. 정말 막막했을 것 같다. 쉬운 대본들도 있지만, 예술적 가치가 있는 대부분의 명작들은 대본 읽기 자체가 큰 도전이고 그것을 연기로 연결하는 문제는 늘 쉽지 않아 보인다.

　오랜 기간 동안 배우훈련을 받으면서 말과 행동을 낳은 상상의 근원과 시작점을 볼 수 있는 눈을 갖게 되면서 배우로서 대본을 어떻게 읽어야 하는지에 대한 나만의 시각과 생각을 정립하게 된 것은 맞지만, 대본 읽기 자체에 대해서는 배우훈련만큼 체계적인 훈련을 받은 적도 없고, 배우들이 쓴 대본분석에 관한 책도 찾을 수 없었다. 배우들이 연기에 대해 한 이야기들은 제법 많지만, 정작 작업의 중심인 대본에 대해서는, 어떠한 분석과 상상의 과정을 거쳐 인물을 구현하고 작품에 기여할 수 있었는지에 대해서는 배우들이 입을 꾹 다물고 있다. 그래서 더 궁금하지 않을 수 없다. 배우와 연출가로 활동하면서 그리고 배우들을 훈련하면서 배우들에게 대본을 통해 배우적 상상의 세계로 이끌어줄 안내서의 필요성을 절감하게 되었고, 그때부터 조금씩 나만의 분석과 상상을 써 내려가기 시작했다. 아직 미흡한 부분이 많지만, 이렇게라도 대본에 대한 배우적 분석이 시작되고, 배우들에 의한 더 많고 좋은 분석들이 뒤를 잇는다면, 큰 기쁨이자 보람이 될 것이다.

　대본이 없는 상태에서 공동창작의 과정을 밟아가지 않는 이상, 배우의 작업은 항상 하나의 독립적이고 독특한 극을 구성하고 있는 대본에서 시작하게 된다. 대본이 어떻게 극을 구성하고 구현하고 있는가에 대한 안목과 각 구성요소들에 대한 배우적 상상을 할 수 있을 때, 배우는 독보적인 예술가로서 공동작업에 진정으로 참여하고 또 작품에 기여할 수 있게 될 것이다. 다른 배우들과 다음 세대를 위해 대본 작업과 관련해 자신만의 통찰과 안목과 노하우를 공유할 배우들을 기다린다. 대본에 대한 배우들의 풍성한 상상들이 모일 때, 우리는 대본과 연기에 대해 한 단계 더 높은 이해의 장과 상상의 터로 옮겨갈 수 있을 것이다. 그럴 수 있는 날을 꿈꾼다.

2019년 겨울의 끝자락에
대학로에서

▌ 대본분석의 목표

⇒ 서브텍스트 읽고 이해하기

⇒ 텍스트는 사람의 몸·겉모습과 같다. 몸과 겉모습을 통해서 그 사람의 영혼과 내면을 들여다보아야 하듯이, 대본에 쓰여 있는 것으로부터 쓰여 있지 않은 것을 읽고 상상할 수 있어야 한다.

⇒ 인물이 말하는 것으로부터 말하지 않는 것, 생각하는 것, 느끼는 것을 읽어내기

⇒ 겉으로(표면적으로) 일어나는 일들을 통해 인물들에게 진짜로 일어나는 일들을 읽고 이해하기

⇒ 말의 아이러니와 극적 아이러니 이해하기

⇒ 극의 구조, 극세계, 극적 시공간을 읽고 상상하기

⇒ 그것이 매 순간별로 인물들에게 어떤 영향을 주고 있는가를 이해하기

⇒ 인물의 유형과 극적 역할을 이해함으로써 자신이 연기하는 인물이 어떻게 작품에 기여해야 하는지 이해하고 알기

⇒ 행동과 반응에 선행하는 대상(상대 인물, 시공간)들과 인물의 관계를 파악하기

⇒ 관계에 따른 반응으로서의 극적 행동 이해하기

⇒ 상대를 변화시키려는 최선의 노력으로서의 극적 행동 이해하기

⇒ 상대의 생각을 바꾸기 위해서, 마음을 움직이기 위해서 인물들이 끝까지 최선의 노력을 기울인다는 것을 이해하기

⇒ 상대의 마음을 정말로 움직이려고 할 때 관객의 마음도 움직일 수 있다는 것을 이해하기

⇒ 감각적 이미지와 내적 비전을 상대와 관객에게 "감염"시키려는 노력으로서의 극적 행동 이해하기

⇒ 반응의 연속으로서 극적 행동 이해하기

⇒ 행동과 행동의 충돌, 마음과 마음의 충돌, 영혼과 영혼의 충돌 그리고 그에 따른 혼란과 갈등과 고통 이해하기

⇒ 모든 것이 순간에 처음으로 일어나는 일임을 이해하기

⇒ 인물이 하는 모든 말은 처음으로 하는 말임을 이해하기

⇒ 인물이 하는 모든 말은 상대가 있기 때문에, 바로 그 상대 때문에 하게 된다는 점 이해하기

⇒ 인물이 하는 모든 말은 쉽게 입 밖으로 나오는 말이 아님을 이해하기

⇒ 인물의 독백은 자신의 내면에 가장 깊숙이 놓인 말 못 할 비밀 같은 것임을 이해하기

⇒ 그 비밀을 입 밖으로 꺼낼 때 어떤 일들이 일어나는지를 이해하기

⇒ 모든 것이 순간에서 순간으로 충실히 이어짐을 이해하기

⇒ 다음 순간을 예측하기는 하지만 항상 다음 순간은 인물에게 미지의 것임을 이해하기

⇒ 순간에서 순간으로의 이어짐이 전체, 초목표, 혹은 극적 결말로 이어짐을 이해하기

⇒ 하나의 장면이 끝났을 때 인물과 상대 그리고 관객에게 일어나야 할 변화를 이해하기

⇒ 그 변화를 성취했을 때, 혹은 실패하더라도 정말로 성취하려고 했을 때 진정한 연기가 가능하다는 것을 이해하기

⇒ 시간의 제약 이해하기: 항상 인물은 시간에 쫓긴다.

⇒ 위험(리스크) 이해하기: 얻을 것이 있으면 항상 잃을 것이 있고 얻을 것과 잃을 것의 무게는 같다.

⇒ 원하는 결과와 원치 않는 결과 이해하기: 인물은 원하는 결과를 이루기 위해 그리고 원치 않는 결과를 방지하기 위해 최선의 노력을 기울인다. 그 노력이 항상 성공적인 결과로 이어지지는 않는다.

차 례

I. 머리말

　희곡(대본)을 어떻게 읽어야 하는가에 관한 문제는 극이라는 것이 본질적으로 무엇이고, 무엇에 관한 것이며, 어떻게 구성되는가에 대한 이해를 전제로 한다. 그러다 보니, 희곡과 관련된 일차적인 논의들은 항상 희곡을 연구하는 학자들과 비평가들에 의해 이루어져 왔다. 하지만 희곡이라는 것이 공연을 전제로 한 텍스트라는 관점에서 공연과 불가분의 관계에 있고, 따라서 희곡을 읽는다는 것은 무대화를 전제로 읽어야만 제대로 읽어낼 수 있다는 인식이 대두하기 시작했다. 그 결과 강태경의 『연출적 상상력으로 읽는 밤으로의 긴 여로』와 같은 기념비적 저술이 이루어졌다. "극작가가 창조하는 희곡은 문학적 재료와는 확연히 이질적일 수밖에 없는 연극적 재료들로 구성되는 것"(38)이라고 본 강태경은 희곡을 문학적 텍스트로만 접하고 이해하던 연극인들에게 연출적 관점에서 어떻게 희곡에 접근할 수 있는지를 여실히 보여주었다. 호세 퀸테로의 연출노트를 기반으로 한 강태경의 <밤으로의 긴 여로>에 대한 분석과 연출적 상상은 희곡 읽기라는 것이 얼마나 즐겁고 역동적인 상상의 작업이 될 수 있는지를 알게 해주었다. 또한 한국드라마학회는 "연극교육과 작업 현장에서 희곡 텍스트의 분석이 그 작업의 무게와 깊이가 충실하지 않고, 체계적이지 못한 것이 사실"인 상황에서, "역사적으로 중요한 대표적 희곡들을 모델로 선별하고, 그것들 안에서 텍스트의 의미와 그 무대적 실현은 어떠해야 할지, 공연을 전제로 한 희곡 읽기는 어떠해야 하는지를 보다 체계적이며 입체적으로 알려주는 안내서"(5)로서『장면 구성과 인물 창조를 위한 희곡 읽기』를 출간하였다. 희곡을 공연을 전제로 한 텍스트로 보는 관점에서 이루어진 중요한 저술로, 희곡에 대한 '연극적' 이해를 증진시키고 있음에 틀림없다.

그럼에도 불구하고, 대본으로서의 희곡을 접하고 분석하고 연기해야 하는 배우들을 직접적인 대상으로 한 연구나 저술은 아직까지 거의 찾아볼 수가 없는 실정이다. 배우적 상상은 배우적 상상에 근거한 희곡 읽기에서 시작된다. 하지만 실제 작업환경에서 거의 대부분의 배우들이 희곡에 접근하는 방식은 작가적 상상, 연출적 상상, 비평적 해석에 근거한 것이 되고 만다. 희곡에 대한 설명과 분석을 전적으로 연출과 드라마투르그에 의존하고 있기 때문이다. "한국에서의 연기교육은 대본분석은 연출자가, 그리고 연기자는 연출자의 대본분석에 의해 연출자의 의도대로 연기자가 연기를 하도록 교육하는 경우가 많다." 그래서 "배우는 창의적으로 인물과 대본을 분석하기보다는 연출자의 의견을 따라가는 경향이 지속되는 것이다"(양경미 249). 작품에 관한 이해에 있어 드라마투르그의 역할이 커져가고 있기는 하지만, "리허설이 시작되면 드라마투르그는 배우와의 관계보다는 작가와 연출가의 사이를 매개하게 된다"(최영주 216). 그러다 보니, 배우들이 연기적 관점에 입각해서 자신이 연기하는 인물에 능동적이고 적극적인 상상의 과정을 통해 접근하지 못하고 있는 실정이다. 연출적 상상의 과정과 방식은 배우적 상상의 과정, 방식과 다르다. 그 차이를 확실히 알지 못한다면 배우의 작업은 연출적 상상과 요구 사이에서 헤매기 마련이다. 배우는 연출적 상상과 요구를 수용하고 구현하기 위해서 사뭇 다른 상상의 과정이 필요하며, 그에 따라 연출적 독서와는 매우 다른 방식의 희곡 읽기 방법이 필요하다.

강태경은 "연출은 작품의 전반적인 이해, 곧 극작가가 창조한 지배적 형식에 대한 해석을 치밀하게 이끌어내며, 모든 무대 매체를 역동적으로 구성함으로써 주어진 극의 모양과 뜻을 관객에게 더 효과적으로 전달한다. 극작가로부터 관객에게 이르기까지 극장적 커뮤니케이션의 전 과정─바꿔 말하자면 희곡 텍스트라는 약호 체계에 대한 해독(decoding)의 각 단계─에 개입하여 해석자이자 총괄적인 조정자의 역할을 수행하는 것이 바로 연출가"(『연출적』39-40)로 연출의 역할을 규정한다. 연출은 희곡에서 시작된 자신의 연출적 상상을 동원 가능한 모든 무대적 표현의 도구와 스타일을 사용해 어떻게 관객의 눈과 귀에 감각적으로 인식될 수 있게 형상화할지를 끊임없이 고심하는 존재이다. 그에 반해, 배우는 작가가 구축한 극세계, 연출이 해석하고 재구성하고자 하는 극세계 안에서 자신이 연기하는 인물만의 매우 주관적이고 고유한 극세계를 구성하여야 하고, 그를 위해 필요한 모든 상상력을 발휘하여야 한다. 배우가 연기하는 인물은 예외 없이 극히 주관적으로 보고 듣고 생각하고 느끼고 말하고 행동하기 때문이다. "모든 캐릭터는 인생에 대해 고유한 사고방식과 감정을 가지고 있다"(애들러 『입센』 272). 주관적인 세계는 인물만의 고유한 감각 인식과 기억, 살아 움직이는 몸과 마음, 주관적인 생각과 사고과정 등을 통해 대상체들과의 주관적 관계를 형성하면서 구축된다. 인물은 극세계 안에 존재하는 모든 인물과 사물을 자신의 주관적 관점에서만 바라보고 자신만의 매우 주관적인 상상을 한다. 햄릿의 눈에 보이는 세상과 오필리어의 눈에 보이는 세상은 완전히 다른 세상이다. 햄릿과 오필리어는 <햄릿> 안에서 완전히 다른 것을 보고 다른 것을 상상한다. 배우의 관점에서 본다면, 같은 극이라고 해도 어떤 인물의 관점에서 보느냐에 따라 전혀 다른 극이 될 수도 있는 것이다.

　　주관적으로 보고 듣고 상상하는 인물을 연기해야 하는 배우에게 극에 대한 객관적 정보나 해석은 의외로 도움이 되지 않을 수 있다. 배우는 자신에게 주어지는 극에 관한 모든 정보와 연출적 주문들을 연기적 관점에서 연기적 용어로 재해석하고 소화하여야 하는데, 주관적 세계를 구축하는 데에 미숙한 배우들에게는 객관적 정보들이 오히려 방해가 될 위험을 안고 있다. 그렇게 되면 배우의 역할 창조 과정과 연습은 불필요한 혼란으로 배우에게 좌절감만 안겨주기 쉽다. 연출이 구축하고 형상화하고자 하는 극세계를 잘 이해하고 연출이 주된 극적 행동으로 삼고 있는 것이 무엇인지를 아는 것은 배우의 연기와 불가분의 관계에 있는 것이 맞지만, 연출이 구축하는 극세계 속에서 인물들은 같은 것을 보고 듣고 상상하기보다는, 반대로 매우 개별적이고 상이한 것을 상상하기 때문에, 배우에게 절대적으로 필요한 능력은 인물에 따라 주관적으로 상상할 수 있는 상상력과, 작품과 연출과 인물이 바뀜에 따라 다른 시각에서 상상할 수 있는 유연한 상상력이다. 스텔라 애들러가 말했듯이, 배우는 "체홉을 하면서 입센을 하는 것처럼 굴지 않고, 스트린드베리히를 하면서 입센을 하는 것처럼 굴지 않고, 조지 버나드 쇼를 하면서 스트린드베리히를 하는 것처럼 굴지 않는다"(*Stella* 6). 연출가 케이티 미첼은 영국 국립극장과 함께 만든 동영상 "다섯 가지 진실들"(Five Truths)에서 한 명의 배우로 하여금 오필리어의 미친 장면을 현대를 대표하는 다섯 연출가들―스타니슬라프스키, 아르또, 브레히트, 그로토프스키, 브룩―의 상이한 스타일로 완전히 다르게 연기하게 했다. 그와 같은 작업의 목적은 현대의 위대한 연출가들의 세계관과 연출미학을 비교 가능하게 해주는 것이기도 하지만, 배우들로 하여금 연출가가 달라짐에 따라 배우에게 어떤 유연성이 필요한지를 일깨우기 위한 것이기도 하다. "배우들은 한 연출가의 창작 방식이 다른 연출가와 다른 경우를 이해하는 데 어려움을 겪기도 한다. . . . 진실을 말하자면, 다른 어떤 예술보다도 연출가의 창작 방법에는 모두에게 통용되는 단 한 가지 방법은 없다는 것이다. 연출 방식은 연출가에 따라, 함께 작업하는 동료 예술가에 따라, 손에 쥔 프로젝트의 내용과 양식에 따라 달라진다"(블룸 14). 작가가 바뀜에 따라, 연출이 바뀜에 따라 배우는 달리 상상하고 연기할 수 있는 능력과 태도를 갖추어야 한다.

그러므로 배우의 관점에서 희곡에 어떻게 접근할 것인지에 대한 연구는 희곡 해석에 있어서 배우들을 연출에 종속된 존재가 아니라, 적극적이고 능동적인 그리고 독자적인 상상의 주체로서 자리매김함에 있어서 매우 중요한 작업이 된다. 스타니슬라프스키도 연출이 작품 해석에 독재적 위치를 차지하면서 배우들과 디자이너들이 창조적 주도권을 잃고 연출의 계획을 수동적으로 받아들이는 수용자로 전락하는 것에 환멸을 느끼고 공연에 참여하는 모든 예술가들이 작품과 직접 접촉할 수 있는 방법을 찾고자 했다(Thomas xxiv). 연극은 연출의 일방적인 강요에 의해서가 아니라 참여하는 예술가들 사이의 협력과 상호작용에 의해 보다 나은 예술로 탄생한다. "희곡이란 것은 한 무리의 사람들에 의해서 해석되고 그러고 나서 관객을 위해 공연된다"(Kiely 2). 각 예술가들의 상상의 충돌로 작품은 탄생한다. 배우들이 희곡을 읽고 해석하는 과정에 더 적극적으로 참여할수록 작품에 대한 해석과 상상은 더 풍부해질 것이다. 배우들을 더 나은 상상의 주체로 확립하는 것은 배우적 관점에서의 희곡 읽기에서 시작된다. 본 연구는 이와 같은 인식의 결과로서, 그리고 배우적 상상에 근거한 희곡 분석에 대한 배우들의 요구에 대한 응답으로서 시도되는 것이다.

본 연구는 배우가 희곡을 접함에 있어서 자신의 주관적 관점에서 보고 듣고 생각하고 상상하는 인물을 구축하기 위해 어떻게 1) 극세계의 구조에 대한 상상 2) 극적 시공간에 대한 상상 3) 관계에 대한 상상 4) 극적 사건과 극적 행동에 대한 상상 5) 시선과 동선에 대한 상상을 시도할 수 있는지를 우선적으로 규명해보고자 한다. 그를 위해 가장 뛰어난 텍스트로 인정받고 있는 셰익스피어의 <햄릿>과 안톤 체홉의 <갈매기>를 주된 분석의 대상으로 삼고 필요에 따라 다른 작품들을 언급하면서 논의를 진행하고자 한다. 그리고 논의의 끝에, 모든 분석의 관점들을 <맥베스> 2막 2장에 종합적으로 적용해봄으로써 하나의 장면을 배우의 관점에서 어떻게 바라볼 수 있는가에 대한 실질적인 예를 제시하고자 한다. 다양한 작품들을 예로 들어가며 관점과 접근법의 타당성을 확립하는 것이 바람직하겠지만, 지나친 예시는 산만함과 혼란을 야기할 수도 있기에 작품 예시에 있어 절제가 요구된다.

논의의 과정에서 행해지는 모든 분석들은 배우적 상상을 위한 주관적인 관점에 초점을 두고 있기 때문에 어떠한 것도 절대적인 답은 될 수 없다. 희곡에 대한 절대적이고 객관적인 답을 제공하는 것은 본 연구의 목적이 아니다. 다만 배우가 어떻게 주관적으로 인물의 관점에서 바라볼 수 있는지에 대한 예시의 성격이 될 것이다. 해석적 제한성에도 불구하고, 아직까지도 배우적 상상에 근거한 희곡 읽기에 관한 글이나 책이 전혀 없는 안타까운 현실에서 이와 같은 예시들을 통해 배우들에게 자신만의 고유한 희곡 읽기 방법을 터득할 수 있는 방향과 시각, 그리고 상상의 과정을 제시하고자 한다.

II. 본론

1 ▪ 배우적 상상의 필요성

극을 잘 이해하는 것은 연기를 잘하기 위한 전제조건이다. 스타니슬라프스키는 생애 마지막 기간 동안 "극적 분석의 독특한 과정을 통한 배우와 대본의 연결"(카르닉 56)에 헌신하였는데, 배우의 모든 창조적 작업이 오로지 극에 기여하기 위한 것이기 때문이다. 희곡 읽기는 배우가 공연에 참여할 때에만, 연출이 있을 때에만 행하는 절차적 행위가 아니다. 평소에 희곡(대본)을 많이 읽고 극과 인물에 대해서 많은 생각과 상상을 하는 배우가 더 나은 연기를 하게 되는 것은 지극히 당연한 일이지만, 희곡 읽기에 관심을 가진 배우는 그다지 많아 보이지 않는다. 스텔라 애들러는 배우를 "대본을 해석하는 예술가"라고 규정하면서 극을 '해석'한다는 것은 "자기 자신 안에서 희곡(극)과 극작가를 찾는 것"을 의미한다고 하였다(*Stella* 6). 연기훈련과 희곡 읽기는 배우가 자신의 예술을 지속할 수 있는 정직한 토대인 만큼, 배우는 다양한 스타일의 극들과 천차만별인 인물들을 자신의 몸과 마음으로 이해하려는 노력을 지속적으로 기울여야 한다. 그래야만 스스로 상상할 수 있는 존재가 되어 연출과의 진정한 협력이 가능해진다. 본격적인 희곡 읽기에 들어가기에 앞서 희곡에 대한 배우적 독서가 필요한 이유를 몇 가지 관점에서 먼저 살펴보고자 한다.

1.1. 서브텍스트(sub-text)와 아이러니(irony)

상상은 보이지 않는 것을 보는 것이다. 보이는 것을 통해 보이지 않는 것까지 보는 것이다. 극에서 보이는 것은 인물의 대사와 행동이다. 보이는 대사와 행동을 통해 작품 안에 작가가 숨겨놓은 보이지 않는 것을 읽고 상상하는 것이 배우의 상상이다.

강태경은 『호모 아메리카노』에서 배우를 뜻하는 고대 그리스어 '휴포크리테스'(hupokrites)를 통해 배우에 대한 본질적 정의를 규명하고 있다.

> 원래의 의미는 '응답하는 자'라는 뜻이다. 대화로 이루어진 드라마의 특성에서 비롯된 말이지만, 동시에 이 말의 어근에는 – hupo는 '아래', krites는 '판명하다'라는 의미 – '숨어있는 것을 드러나게 하다'라는 뜻이 담겨 있다. 흔히 배우란 허구의 인물을 연기하는 자라고 말하지만, 사실은 비존재를 존재인 양 꾸며내는 것이 아니라 현상의 그림자들 아래 숨어 있는 본질의 실체를 자신의 몸을 빌려 드러나게 하는 것이 바로 배우라는 말이다. (22)

‘현상의 그림자’로부터 ‘본질의 실체’를 드러나게 한다는 것을 그대로 희곡에 적용하면, 텍스트로부터 서브텍스트를 드러나게 하는 것이 바로 배우의 본업임을 알 수 있다. 이렇게 배우가 드러내야 하는 모든 것, 작품 안에 숨겨 있는 보이지 않는 모든 것을 **서브텍스트**라고 부른다. 인물이 말하고 있지 않은 것, 속으로 생각하고 느끼는 것, 드러나지 않는 행동에서부터 시작해서, 인물의 시선, 말과 행동의 원인, 사건의 근원과 출발점 그리고 인과관계 등에 이르기까지, 작가에 따라 차이는 있으나 거의 대부분이 인물들의 말(텍스트)로 구성되어 있는 희곡 읽기에 특별한 배우적 상상력이 요구되는 것은 사실 서브텍스트 때문이다. “연기자에 의해 구현되는 서브텍스트가 문자텍스트의 독서와 공연텍스트의 관극 체험을 결정적으로 변절시키는 자질이 된다”(홍재범 334). 그리고 “배우는 작가의 텍스트를 시각적으로 재현하는 사람이 아니라 작가가 말로는 표현할 수 없었던 행간의 진실을 찾아서 창조하는 사람이다”(이재민 269).

배우가 예술가가 되는 이유는 바로 말로 표현할 수 없는 진실 혹은 본질의 창조에 있다. 모든 것이 텍스트로 명확하게 드러나 있다면, 배우나 연출의 상상은 상대적으로 수월해질 것이다. 그러나 상투적인 표현이지만, 수면 밑에 잠겨 있는 거대한 빙산처럼, 안톤 체홉 이후 현대의 희곡들은 훨씬 더 많은 것을 서브텍스트에 담고 있다. 겉으로 드러나 있는 텍스트로부터 숨겨 있는 서브텍스트를 읽어낼 수 있는 상상력이 배우에게 요구되고 있다. 그것은 마치 사람의 겉모습만으로 그 사람을 알 수 없는 것과 마찬가지이다. 관상을 비롯한 사람의 겉모습은 그 사람이 어떤 사람인지 가늠할 수 있는 단서를 제공하기는 하지만, 겉모습 자체가 그 사람의 전부는 아니다. 그 사람을 알기 위한 시간과 노력 없이 그 사람을 알 수는 없는 노릇이다.

    배우들에게 던져진 텍스트는 자신의 눈앞에 보이는 사람의 겉모습과 마찬가지로 그 안에 담긴 영혼과 삶을 들여다볼 것을 요구한다. 배우에게는 텍스트 밑에, 텍스트와 텍스트 사이에, 그리고 말이 없는 '침묵의 순간'에 진정 어떤 일들이 일어나고 있는지를 볼 수 있는 눈이 절대적으로 필요하다. 해롤드 핀터의 작품을 하면서 침묵의 순간들에 대해 상상할 수 없다면, 핀터적 연기 자체가 불가능해진다. 오스카 와일드의 <살로메>에서 가장 중요한 순간은 살로메가 헤롯왕과 다른 모든 이들 앞에서 춤을 추는 순간이다. 살로메의 춤 전후로 극적 상황은 완전히 변한다. 그런데 작가 오스카 와일드는 "살로메는 일곱 베일로 춤을 춘다"(73)라고 한 문장으로만 간단하게 적어놓았다. 춤을 추는 살로메에게, 그것을 지켜보는 헤롯왕에게 어떤 일이 일어나고 춤을 통해 무엇이 표현되고 춤으로 인해 어떤 반응과 결과들이 일어나는지를 상상할 수 없다면, <살로메>는 제대로 무대화할 수가 없다.

    서브텍스트를 상상하지 못하는 배우는 표면상의 말들과 행동들로부터 인물의 동기와 목표를 설정하고 그에 따른 행동을 하게 될 뿐이다. 그렇게 되면, 희곡은 표면적 의미 이외에는 다른 것을 가지지 못한 단순한 작품으로 전락하고 만다. "서브텍스트의 해석은 배우들에게 열려있다" (Knopf 7). 서브텍스트를 읽어야 장면의 물밑으로 흐르는 인물의 진짜 동기와 목표를 알 수 있고 그것에 따라 배우는 적절한 행동의 선택을 할 수 있게 된다. 인물이 어떤 동기와 목표를 가지고 장면에 등장한다고 해서 반드시 그 동기와 목표대로 장면이 흘러가거나 대화가 진행되는 것은 아니다. 뜨레쁠레프가 죽은 갈매기를 들고 니나 앞에 섰을 때, 사실 뜨레쁠레프가 다시 만난 니나 앞에서 하고 싶었던 말은 자신이 니나를 얼마나 사랑하는지였지만 둘의 대화는 뜨레쁠레프가 원하는 대로 흘러가지 않는다. 대화는 뜨레쁠레프의 의도와는 달리 결국 니나와의 싸움으로 번지고 자신이 얼마나 불행한지 하소연하거나 옥박지르는 것으로 끝나버린다. 이 장면이 끝나고 나서 3막이 시작되기 전에 뜨레쁠레프가 자살을 시도하는 것은 니나와의 소중한 만남을 그런 식으로 망쳐버린 자신에게 실망했기 때문일지도 모른다. 대화를 통해서 니나의 마음을 돌리고 니나의 사랑을 되찾고자 한 뜨레쁠레프의 동기와 목표는 전혀 장면에서 구현되지 않는다.

좋은 희곡은 표면적으로 보이는 것 아래로 복잡한 결과 층을 가지고 있다. 공연에서 그 결과 층이 구현되는 것은 서브텍스트를 해석하고 그것에 따른 목표와 행동에 대한 선택을 하는 배우에게 달려있다. "그와 같은 배우의 선택들은, 극적 시간 내내 추구되고 연출과 디자이너의 선택과 결합해 강화된다면, 텍스트 아래 복잡한 동기, 필요, 욕구 그리고 욕망의 층과 결을 놓음으로써 공연에 큰 깊이를 더해줄 수 있다"(Knopf 7). 서브텍스트를 들여다보고 찾아낸 예사롭지 않은 선택들을 통해서 배우들은 공연에서 자신만의 빛을 발하며 원작 희곡의 숨겨진 복잡한 의미를 밝혀주게 된다.

서브텍스트를 이해하기 위해 잘 알려진 안톤 체홉의 <갈매기>의 첫 시작 부분을 예로 들어보자.

메드베젠꼬 당신은 왜 항상 검은 옷을 입고 계십니까?

마샤 이건 내 인생의 상복이에요. 전 불행해요.

메드베젠꼬 왜 그렇죠? (생각에 잠겨) 이해할 수 없습니다. . . . 당신은 건강하고, 당신 부친께선 부자는 아니지만 생활하는 데는 충분하잖아요. 당신에 비하면 전 훨씬 더 어렵게 삽니다. 한 달에 23루블밖에 못 받는 데다가 퇴직 적립금까지 부어야 하지만, 그래도 난 상복은 입지 않습니다.

                    (두 사람, 앉는다)

마샤 문제는 돈이 아녜요. 가난한 사람도 행복할 수 있어요.

메드베젠꼬 그건 이론일 뿐이지 실제로는 그렇지 않아요. 저와 어머니,
      두 누이동생과 남동생이 사는데, 월급은 다해야 23루블입니다. 먹고
      마셔야죠? 차와 설탕도 있어야죠? 담배도 있어야죠? 그러니 이렇게
      쩔쩔매는 겁니다.

마샤 (가설 무대 쪽을 돌아다 보며) 곧 연극이 시작되겠군요.

메드베젠꼬 네, 자레치나야가 연기하고 꼰스딴찐 가브릴로비치가 희곡을
      썼죠. 두 사람은 서로 사랑하고, 오늘 연극을 통해 두 사람의 영혼은
      같은 예술상을 제시하려는 열망 속에서 결합할 겁니다. (109-10)

메드베젠꼬의 첫 대사는 감각적 지각에 대한 반응으로서 시작되어야 한
다. 메드베젠꼬는 뜬금없이 첫 대사를 내뱉는 것이 아니라, 무엇을 보았기
때문에 이 말을 하게 되는 것이다. 메드베젠꼬의 마음은 온통 마샤를 향
해 있기 때문에, 마샤에게서 보거나 듣거나 피부로 느낀 것에 대한 반응
으로서 첫 말을 건네는 것이다. 마샤가 갑자기 검은 옷으로 갈아입은 것
은 아니기 때문에, 산책 내내 묻지 않다가 지금 이 시점에 질문을 하는
이유는 따로 있다. 그것은 뭔가 마샤의 변화를 감지했기 때문일 것이다.
이렇게 한 인물이 대사(말)를 말하는 이유는 자신 안에 있기보다는 밖에
있는 대상체로부터 생겨난다. 그렇다면 이 순간 마샤에게서 어떤 변화가
감지되었을까?

마샤는 메드베젠꼬가 묻는 말에 정작 중요한 것은 말하지 않는다.
즉, 그녀가 '무엇 때문에' 불행한지는 말하지 못한다. 그 점을 배우가 읽
어내지 못한다면, 마샤를 제대로 연기할 수 없다. 사실 마샤는 메드베젠꼬

와 산책 중이었지만, 무대를 설치하는 망치 소리에 이끌려 이곳으로 오고 있었던 것이다. 이곳에 오면 뜨레쁠레프가 있을 것 같았기 때문이다. 등장하자마자 마샤는 재빨리 뜨레쁠레프를 눈으로 찾는다. 하지만 어디에도 보이지 않는다. 마샤 본인은 어떻게든 감추고 싶었겠지만, 그로부터 오는 깊은 실망감이 어떤 식으로든 드러나게 된다. 그것을 본 메드베젠꼬가 자신이 사랑하는 여자가 우울해 보여서 예쁜 옷을 입었으면 하는 심정으로 묻게 되는 첫 마디가 "당신은 왜 항상 검은 옷을 입고 계십니까?"인 것이다.

마샤는 뜨레쁠레프를 향한 자신의 속마음이 메드베젠꼬에게 부지불식중에 드러나지 않았는지 촉각을 곤두세우게 된다. 하지만 메드베젠꼬가 지적한 자신의 옷 색깔에 대한 이미지가 주변의 '어두움'과 결부되면서, 마샤는 빠르게 그녀의 신세에 대한 생각에 빠져들게 된다. 막 해가 진 뒤에 점차 짙어지는 어두움이라는 시간적 이미지와 검은 옷이라는 이미지는 마샤에게는 자신의 인생에 드리운 어두움과 동일시되는 이미지가 된다. 이 어두운 이미지는 오로지 뜨레쁠레프로부터 오는 빛에 의해서만 걷힐 수 있다.

메드베젠꼬의 상상력은 마샤가 말하지 않는 것을 보지 못한다. 그렇기 때문에 이해가 안 된다고 하는 것이다. 이미지가 떠오르면 아는 것이고 떠오르지 않으면 모르는 것이다. 메드베젠꼬가 마샤의 마음을 얻지 못하는 것은 이렇게 현실적인 문제를 넘어서는 다른 것들을 상상할 수 없는 그의 상상력의 한계 때문이다. 쉽게 이야기하자면, 여자의 마음을 몰라도 너무 모르기 때문이다. 물론 메드베젠꼬에게 현실생활과 관련된 이미지들은 다른 이미지들보다 훨씬 더 중요하다. 본인이 중요시하지 않는 이미지들을 상대에게 피력하는 일은 없다.

마샤는 자신이 보고 있는 이미지를 말로 표현하지 않는다. 가난한 사람이 무엇 때문에 행복할 수 있는지, 그 '무엇'은 입 밖으로 내지 않고 있다. 이렇게 인물들이 겉으로는 드러내지 않는 것들은 전부 인물의 마음을 사로잡고 있는 내적 이미지들이 되고, 인물을 움직이는 진정한 원동력이 된다. 마샤에게 "가난한 사람도 행복할 수 있어요"라고 말하게 하는 이미지는 사랑에 관한 이미지이고 그 이미지는 뜨레쁠레프와의 행복한 결혼생활에 대한 자신만의 상상에서 오는 이미지들일 것이다. 메드베젠꼬의 이미지들은 자신의 현실고와 관련된 기억들로부터 비롯되는 이미지들이다. 그리고 그 이미지들을 마샤의 마음에 떠올리려고 하면서 마샤가 자신을 이해해주기를 바란다. 여기서 담배 이야기가 나오는 것은 메드베젠꼬가 마샤가 담뱃갑을 꺼내는 것을 보았기 때문이다. 마샤가 현실적으로 의존하고 있는 물건을 예로 들어서 자신의 입장을 피력하는 것이다.

마샤는 화제를 돌린다. 메드베젠꼬와의 대화가 새로운 내용 없이 지루하게 계속될 것이 뻔히 보이기 때문이기도 하고, 그녀의 마음은 끊임없이 뜨레쁠레프를 향하기 때문이다. 이제 곧 연극이 시작할 것이라는 것은 이제 곧 뜨레쁠레프가 나타날 것이라는 것을 의미한다. 하지만 아직 그녀의 시야에 뜨레쁠레프는 보이지 않는다.

메드베젠꼬는 마샤에게 가장 치명적인 말을 언급한다. 연극을 통해서 뜨레쁠레프와 니나의 사랑이 완성될 것이라는 것이다. 메드베젠꼬는 연극을 마치 '뜨레쁠레프와 니나의 결혼식' 같은 이미지로 이야기하고 있고, 그 이미지는 마샤의 마음에 그대로 떠오르면서 마샤의 가슴을 더할 나위 없이 아프게 한다. 그와 같은 상상은 대비를 통해 메드베젠꼬와 마샤 둘 다에게 자신들의 현재 처지를 더욱 선명하게 떠오르게 한다. 메드베젠꼬에게는 마샤와의 마음의 거리가 더욱 크게 느껴지고, 마샤와의 사랑이 현실적인 문제로 요원하게만 느껴지며, 마샤 역시 오늘 밤 연극이 끝나고 나면 뜨레쁠레프는 완전히 다른 여자의 남자가 될 것이라는 상상에 휩싸인다.

체홉에서 시작된 서브텍스트를 읽는다는 것은 인물이 말하는 것을 통해 말하지 않는 것, 표면적으로 일어나는 일을 통해 진짜로 일어나는 일을 읽어내는 것을 의미한다. 실제 삶 속에서 사람들은 정작 중요한 것은 쉽게 입 밖으로 내지 않는다. 삶을 충실히 자신의 작품에 집약한 체홉은 사람들이 입 밖으로 말하는 것보다 말하지 못하는 것이 훨씬 더 중요하고 사람들을 움직이는 동인(動因)이 된다는 것을 알았다. 그 동인을 읽어내어야만 배우는 인물로서 적절한 행동을 선택할 수 있다. "서브텍스트를 인식해야 행동이 분명해지는 것이다"(블룸 58). 체홉의 대본은 배우에게 인물의 언행과 반응을 포함해서 극에서 일어나는 모든 현상들의 **근원**을 들여다볼 수 있는 눈과 귀를 가질 것을 요구한다. 그래서 배우의 상상력이 훨씬 더 요구되는 대본이 체홉의 희곡들인 것이다.

셰익스피어처럼 서브텍스트라는 개념이 존재하기 이전의 대본들을 읽는 데에도 특별한 읽기가 필요하다. 서브텍스트가 적어질수록 말 자체가 가지는 섬세함과 정교함이 커진다. 작가가 어떻게든 상상의 차이, 생각의 차이, 느낌의 차이를 말과 어감의 '차이'로 표현하고 전달하려고 하기 때문인데, 그중에서도 배우들이 놓치지 말고 읽어낼 수 있어야 하는 대표적인 것이 바로 '아이러니'와 말의 '중의성'(重義性)이다. 아이러니란 "어떤 한 가지 것을 말하면서 동시에 다른 의미를 지니는 것", 즉 "표면상의 의미와 반대되는 다른 의미를 지니는 것"이며, 중의성이란 "하나의 단어 혹은 구에 이중적인 의미가 깃든 것"을 뜻한다(바튼 343). 말이 중의적 의미를 갖는다는 것은 말을 발화(發話)하게 하는 생각과 상상이 하나가 아니라 최소 두 가지라는 것을 의미한다. 중요한 극적 순간에 작가가 아이러니와 중의성을 가진 표현을 쓰고 있다는 것은 극적 순간에서 인물이 두 가지 이상의 것을 보고 있다는 것을 의미한다. 따라서 작가적 상상을 그대로 구현해야 하는 배우의 상상력이란 한 가지만을 상상하는 능력이 아니라 최소 두 가지를 상상할 수 있는 능력이 된다. 한 가지만을 보고 생각하고 상상하는 인물은 단편적이고 판에 박힌 인물이다. 마찬가지로 대본에서 한 가지만을 읽어내고 생각하고 상상할 수 있는 배우는 단순한 배우에 지나지 않는다.

    <햄릿>의 시작 장면을 가지고 아이러니와 중의성에 대해 살펴보자.

바나도 누구냐?

프란시스코   넌 누구냐. 정지. 이름을 대라.

바나도 국왕폐하 만세!

프란시스코   바나도?

바나도 그래.

프란시스코 딱 제시간에 맞춰 왔군.

바나도 방금 열두 점을 쳤어. 가서 자게, 프란시스코

프란시스코 교대해 주어 고맙다. 어찌나 추운지 맥을 못 추겠어.

바나도 별 이상은 없었나?

프란시스코   쥐새끼 하나 얼씬 안 했어.

바나도 좋았어, 푹 쉬어.

    호레이쇼와 마셀러스를 만나거든,

    속히 오라고 일러 줘. 같이 보초 설 동료들이야.

    (호레이쇼와 마셀러스 등장)

프란시스코 (발자국 소리를 듣고) 그들인가 보다. 정지, 누구냐?

호레이쇼 이 나라의 백성.

마셀러스   덴마크 왕의 신하. (신정옥 17-18)

서브텍스트라는 개념이 존재하기 이전에 쓰인 작품이지만 <햄릿>의 시작 장면에는 많은 서브텍스트가 담겨 있다. 뒤에 나오지만, 병사들은 한 달 동안이나 진행된 전쟁 준비와 비상사태에 지칠 대로 지친 상태이다. 따라서 프란시스코가 극심한 추위와 피로 속에 정상적으로 보초를 서고 있었을 확률은 매우 낮아진다. 보초를 서고 있는 프란시스코가 아니라 교대하러 오는 바나도가 "누구냐?"라고 하는 것은 매우 의미심장한 시작이다. 놀랍게도 "Who's there?"라는 단 두 단어로 된 첫 대사에 셰익스피어는 <햄릿>이 어떤 세계이고 어떤 일들이 일어날지를 함축하고 있다. 역할의 뒤바뀜은 <햄릿>이라는 작품 전체에서 패턴으로 나타나는 현상이고 <햄릿>의 세계 속에서는 어딘가에 정체 모를 존재가 도사리고 있다는 것을 훌륭하게 예고하고 있다. 바나도는 분명 무엇인가 이상한 것을 감지했기 때문에 반사적으로 반응하고 있을 텐데, 그가 이렇게 예민한 이유는 이틀 동안이나 비슷한 시각에 선왕의 유령을 보았기 때문이다. 어둠 속에서 무엇인가 이상한 것을 보거나 듣거나 감지한 바나도는 놀라서 "누구냐?"라고 외친다. 바나도의 반응은 비정상적으로 보초를 서고 있던, 예를 들어 졸고 있다거나 오줌을 눈다거나 몸을 떤다거나 무언가를 뒤집어쓰고 있던, 프란시스코의 형상이나 동작을 오인한 결과일 수도 있고 아닐 수도 있다.

프란시스코가 비정상적으로 보초를 서고 있었다면, 바나도의 "누구냐?"는 소리에 프란시스코는 깜짝 놀라서 반사적으로 "넌 누구냐. 정지. 이름을 대라"고 했을 것이다. 무기를 손에서 내려놓고 있었다면 급하게 무기를 찾으며 허둥지둥 외치는 말이 될 것이다. 바나도의 "국왕폐하 만세"나 이후에 등장하는 마셀러스의 "덴마크 왕의 신하"는 시야가 확보되지 않는 상황에서 군대에서 아군과 적군을 구분하기 위해 사용하는 암구어이다. 아무 의미 없이 내뱉을 수도 있지만, 병사들이 국왕, 즉 덴마크 왕에 대해 어떤 태도를 갖고 있느냐에 따라 다르게 혹은 아이러니컬하게 말할 수도 있다. 더구나 죽은 선왕의 유령을 본 바나도가 내뱉은 "국왕폐하 만세"는 매우 아이러니컬할 수 있다. 호레이쇼가 내뱉는 "이 나라 백성"은 언뜻 보기에 암구어 같지만, 호레이쇼는 군인이 아니라는 점에서 누구냐고 묻는 질문에 아이러니컬하게 답한 말일 수도 있다. 그래서 급하게 마셀러스가 올바른 암구어로 고쳐서 말하는 것일지도 모른다.

날씨가 몹시 추운 상황에서 프란시스코가 교대시간에 정확히 맞춰서 왔다고 하는 말은 '제때 와줘서 고맙다'는 뜻으로 하는 말일 수도 있지만, '이렇게 추운 날 교대시간 딱 맞춰 오다니 참 야속하다'는 중의적 의미로 말해질 수 있다. "어찌나 추운지 맥을 못 추겠어"(sick at heart)라는 프란시스코의 말에 바나도는 혹시나 프란시스코가 보초를 서는 중에 유령이 나타났을지도 모른다는 생각을 갖게 되고, 그래서 자신의 의도를 숨긴 채 떠보는 말로 "별 이상은 없었나?"라고 묻게 된다. 절대 그냥 궁금해서 묻는 말이 아니다. 바나도의 질문에 대한 프란시스코의 대답은 그가 어떻게 보초를 서고 있었느냐에 따라 달라지기 마련이다. 보초를 제대로 서지 않았다면 "쥐새끼 하나 얼씬 안 했어"는 분명 허언이자 허풍이며 자신의 잘못을 감추기 위해 하는 말이 되기 때문이다. 그리고 그런 경우 뒤에 마셀러스와 호레이쇼가 오는 소리를 들었을 때 프란시스코가 "정지, 누구냐?"를 훨씬 호들갑스럽게 할 가능성이 커진다. 서브텍스트를 어떻게 읽어내느냐에 따라서 인물의 말과 행동이 크게 달라지는 것이다.

셰익스피어의 희곡을 이해함에 있어서는 비유를 이해할 수 있는 능력(상관이 없어 보이는 A와 B를 보고 상상하고 연결할 수 있는 능력)과 더불어 말의 다중적 의미를 이해할 수 있는 능력(두 가지 이상의 것을 보고 상상할 수 있는 능력)이 절대적으로 요구된다. 셰익스피어는 서브텍스트 이전의 작가이지만, 동음이의어(pun)의 빈번한 사용에서 알 수 있듯이, 대사의 표면적 의미와 심층적 혹은 다중적 의미에 큰 비중을 두었다. 삶과 삶의 순간들, 인물의 생각과 느낌들이 단순하지 않고 복합적이기 때문이다. 아이러니는 상대 인물은 그 뜻과 진의를 알지 못하지만 관객들은 알게 될 때 생겨나는 극작가의 매우 고차원적인 말하기 방식이다. 배우들이 아이러니를 관객에게 전달하지 못한다면, 셰익스피어를 관객에게 알게 해줄 수 없다. 이와 관련해서 배우 벤 킹슬리는 배우가 아이러니를 해석할 수 있는 능력을 강조하였는데, "인쇄된 단어는 당신이 뜻하고자 하는 바를 완전히 전해주지 않습니다. 글로는 아이러니컬하게 표현할 수 없고, 배우가 아이러니컬하게 해석해야만 합니다"라고 하였다(바튼 342).

여석기는 아이러니를 "말하고자 하는 내용과 반대되는 진술의 한 형태이며 비유적 표현 또는 사고의 양태에 속하나, 단순한 수사를 뛰어넘어 하나의 관점, 삶의 관점을 나타내기도 한다"(31)고 하였다. 또한 존 바튼은 아이러니가 "생각과 느낌의 중간에 있기 때문"(342)에 매우 어려운 것이 된다고 하였는데, 배우는 희곡을 읽으면서 표면적으로 적혀있는 말에만 집착하지 말고 말의 중의적 의미와 어감을 파악하고 생각하려는 노력을 기울여야 한다. 서브텍스트, 아이러니, 중의성은 모두 배우로 하여금 대사를 대본에 적혀있는 그대로의 의미가 아니라 다른 의미를 끊임없이 찾게 한다. 그와 같은 의미를 찾는 노력이 지속될 때 배우는 비로소 소리와 언어의 마술사와 같은 경지에 오를 수 있게 될 것이다. 대사가 없는 연극을 한다면 신체의 사용이 절대적으로 중요하지만, 대사가 있는 연극에서 상상하는 것을 소리로 낼 수 있고 제대로 말할 수 있는 배우의 능력은 관객의 공연 경험을 근본적으로 좌지우지한다.

1.2. 삶의 불가해성과 비논리성

배우들에게 희곡을 읽는 특별한 능력이 요구되는 두 번째 이유는 좋은 희곡은 삶과 살아있는 인간의 경험을 담고 있기 때문이며, 삶과 인간은 논리적으로 완전하게 분석될 수 없기 때문이다. "삶은 신비로우며, 논리를 초월한다. 생명체가 온전히 분석되거나, 터득되거나 혹은 이해될 수 없는 것처럼 말이다"(도넬란 19). 그래서 희곡에 대한 배우적 상상에는 항상 말로는 설명하기 어려운 부분들이 존재한다. 말로 이해하고 말로 표현할 수 없는 부분까지 배우는 이해하고 표현할 수 있어야 한다. 김미혜는 "예술은 과학과 달리 삶이 모호하고 모순에 차 있다는 것을 전제로 하기 때문"에 "희곡에 대한 완벽한 해석이나 분석, 이해는 가능한가? 이 질문에는 가능하지 않다는 것이 대답이다"라고 하였고, "그럼에도 불구하고 희곡에서 모호한 것, 여간해서 잘 드러나지 않는 것, 이런 것들을 찾아내어 무대 위에서 구체적으로 그림으로 보이도록 하기 위해 가장 근간이 되는 것이 대본분석의 과정"이라고 하였다(15-16).

삶은, 특히나 극 속에 담겨 있는 삶은 언제나 혼돈이다. 그렇기 때문에 배우에게 연기는 언제나 자신이 알지 못하는 미지의 어떤 곳으로의 여행이 된다. 미지에로의 여행자로서 배우만의 특별한 희곡 독법은 연기에 있어 마치 나침반과 지도와 같은 역할을 하는 것이다. <갈매기>를 연기해야 하는 젊은 배우들은 상대가 나를 사랑해주지 않아도 오랜 세월 그 사람을 변함없이 사랑하는 <갈매기>의 인물들이 전혀 논리적으로 이해되지 않을 수도 있다. 니나가 자신을 버린 뜨리고린을 왜 그토록 사랑하는지 납득하지 못할 수도 있다. 하지만 배우가 실제 자신의 삶에서 누군가를 사랑하게 될 때, 아니면 헤어진 누군가를 잊지 못해 괴로워할 때, 그 모든 시간의 모든 경험들이 논리적으로 설명이 되지 않는 것처럼, 인물들의 삶도 마찬가지이다. 인물들의 삶은 논리적 분석의 대상이라기보다는 이해와 오해 그리고 편견을 넘어서서 배우가 온전히 받아들여야 하는 부분이다. 불가해한 것을 이성적으로 이해하는 데 에너지를 소모한다면, 배우는 인물에게 영영 다가가지 못할지도 모른다. 연기는 니나가 뜨리고린을 왜 그렇게 사랑하는지에 대한 설명을 위한 것이 아니다. 그보다는 니나가 뜨리고린을 사랑하기에 니나의 영혼에 어떤 일이 일어나고 그로 인해 니나가 어떤 선택과 행동들을 하게 되는지, 자신의 삶 속에서 한 인간으로 어떻게 성숙해 가는지를 규명하고 표현하는 일이다. 이해 가능한 것으로부터 불가해한 것으로 나아가는 것은 연기예술에서 배우가 걸어가는 기본 여정이다.

　삶과 인간이 불가해적이고 논리와 분석을 초월한다는 것은 사실 극예술 자체가 존재하는 이유이다. 모든 것이 논리적으로 설명 가능하다면, 극예술은 그 존재 이유를 잃어버릴 것이다. 따라서 신비하고 비논리적인 삶과 인간을 담고 있는 희곡을 읽어야 하는 배우들에게는 논리적인 대본의 분석뿐만 아니라 그것을 넘어서는 비논리적 상상력이 요구된다. "우리는 말하거나 행동하는 것의 완전한 의미를 깨닫지 못한다. 우리는 자신에 대한 많은 것들을 결코 알 수가 없다. 또한 우리가 하는 행동의 모든 결과에 대해서도 확실히 알 수가 없다. 우리가 말하고 있는 이야기에 대해서도 결코 확신할 수 없다. 한 가지 이야기처럼 보이는 것이 언제나 많은 이야기를 담고 있기 때문이다. 진실로 책임을 지기 위해서는 우리의 무지를 인정해야 한다'(도넬란 293). 삶과 그것을 담고 있는 텍스트의 불가해성과 우리의 무지를 인정하는 것은 배우들에게 좌절을 안겨주는 것이 아니라, 혼돈을 몸소 경험함으로써 궁극적 해독에 도달할 수 있는 도전의 기회를 열어주는 것이다. "이제 예술의 과제는 이성적 자유 내지 예술적 재현의 요구에 가려 보이지 않았던 힘들, 즉 이성적으로 해독될 수 없는 해로운 힘들을 포획하여 새로운 재료로 생포하는 것으로서, 특정한 담론으로 환원되지 않는, 즉 비판적 사유를 촉발하는 감응을 생성시키는 것" (이경미 291-92)이 되어버린 현대사회에서 불가해성과 비논리성을 읽고 해석하고 포용하고 구현할 수 있는 배우의 존재는 더욱 소중해지고 있다.

희곡은 배우들에게 머리로서만 아니라, 가슴으로, 감각으로, 몸으로, 기억으로, 꿈으로 읽기를 요구한다. 스스로 살아있는 생명체이자 논리를 초월하는 신비로운 존재로서, 배우는 그런 자신을 꼭 닮은 희곡을 진정으로 만나야 하는 것이다. 온몸과 마음으로 정성을 다해 만나야 하는 것이다. 그것이 희곡에 생명을 부여하는, 그래서 살아있는 연극으로 부활시키는 배우의 예술가로서의 위상이자 존재 이유이다.

1.3. 인간에 대한 상상과 영혼의 고통

강태경은 연출적 상상력을 "문학적 상상력과 조형적(공간적) 상상력의 결합'으로 규정하면서 연출적 상상력이 그것을 뛰어넘는 "인문적 (humanist) 상상력", 즉 "인간에 대한, 인간의 신체와 정신—몸과 마음—에 대한 상상력"(『연출적』 238)이라고 하였다. 하지만 인간에 대한 상상력은 연출적 상상이기 이전에 본질적으로 배우적 상상력이다. 인물을 직접적으로 구축하고 구현해야 하는 배우가 희곡으로부터 상상해야 하는 것은 다름 아닌 인간에 대한 상상이다. 어떠한 공연 양식에서든 배우가 연기하는 인물이 인간에 대한 상상을 바탕으로 인간을 구현하고 있을 때, 관객은 그 인물을 통해 인간을 바라보고 생각하고 이해하게 된다.

　　"모든 드라마의 근원에는 '인간이란 무엇인가?'라는 질문이 놓여 있다"(강태경 『연출적』 238). 이 질문에 대한 답을 찾는 것이 극을 읽는 이유이다. 그런데 그것이 생각만큼 쉽지가 않다. 희곡은 인간에 대한 상상을 담고 있기는 하지만, 그 상상을 어디까지나 밖으로 드러나는 언행을 통해서만 그려놓기 때문이다. 텍스트를 읽으며 서브텍스트를 상상해야 하듯이, 배우는 겉으로 드러난 인물의 언행을 통해 인물의 영혼에 다가가야 한다. 인물의 영혼을 이해하지 못한다면 인간을 이해한다고 말할 수 없기 때문이다. 배우로서 희곡을 읽는다는 것은 '인간으로서 세상에 존재한다는 것 자체가 가져오는 영혼의 고통'을 읽어내는 것을 의미한다. 배우가 희곡으로부터 인간이 무엇인지에 대한 대답을 찾고 인간을 이해할 수 있기 위해서는 자신이 연기하는 인물의 영혼을 들여다볼 수 있어야 한다. 그 영혼에 무슨 일이 일어나고 있는지를 알 수 있어야 한다. 그 영혼이 느끼는 '고통'을 고스란히 자신의 몸과 마음으로 느낄 수 있어야 한다.

　　겉으로 드러난 것들만 가지고 이해를 한다면 그것은 상상력이 아니다. 상상력은 보이지 않는 것을 보는 능력인데, 겉으로 드러난 인물들의 언행을 통해 보이지 않는 인물의 영혼을 들여다볼 수 있어야 비로소 배우적 상상력이 된다. 인물에 대한 설명과 분석들은 인물을 이해하기 위한 단초이지 인물 자체가 아니다. 인물에 대해 이렇게 저렇게 분석해놓은 말들로 인물을 다 알 수 있다고 생각하는 것은 사실 배우들의 큰 착각이다. 뜨레쁠레프가 <갈매기> 1막에서 어머니 아르까지나에 대해 엄청나게 많은 말들을 하지만 그 말들로 아르까지나를 알 수는 없다. 뜨레쁠레프의 말들은 어디까지나 아들 입장에서 본 엄마의 모습이지, 아르까지나 자체가 아니다. 뜨레쁠레프의 말들로부터 아르까지나를 연기하는 배우는 아르까지나가 왜 아들을 멀리하는지 그 근본 이유를 상상해야 한다. 아르까지나 입장에서는 아들이 옛 남편하고 생긴 것도 똑같고 하는 짓도 똑같기 때문에 아들 볼 때마다 옛 남자가 생각나서 고통스러워 아들을 멀리할 수도 있는 것인데, 대사로 적혀 있는 뜨레쁠레프의 말만 받아들여서 아르까지나를 이해하려는 오류를 범해서는 안 된다. 뜨레쁠레프의 말들은 꽤 많은 정보를 제공하기는 하지만, 오히려 뜨레블레프를 이해하는 데에 도움이 되는 말이고 엄마와 아들의 관계에 대해 생각해보게 하는 말들이다. 하지만 그 말만으로는 엄마든 아들이든 어느 쪽도 완전히 알 수 없다. 인물의 영혼을 생각하지 않으면, 배우들은 인물들의 말을 단편적으로 받아들이게 된다.

복합적인 인물을 연기하는 배우라면, 인물의 영혼을 보기 위해서 배우는 제일 먼저 자신의 영혼으로 인물을 받아들여야 하고 자신의 심장을 온전하게 인물에게 내주어야 한다. 극 속 여정을 떠남에 있어, 배우는 자신의 영혼의 눈으로 모든 것을 바라보아야 하고, 가장 중요하게, 이제 그 영혼이 통째로 흔들리고 부서지고 아파할 것에 대한 마음의 준비를 해야 한다. 인물이 극 속 여정에서 하는 경험들이 모두 인물의 영혼을 흔들어놓는 경험이기 때문이다. 인물이 되고자 한다면 피할 수 없는 여정이다. 산산이 부서질지언정 몸소 끝까지 헤치고 나갈 여정이다. 영혼의 고통 없이 연기는 예술이 되기 어렵다. 배우 자신의 영혼과 인물의 영혼이 만날 때 배우는 진정 예술가로서 거듭나게 된다. 오필리어의 미친 장면을 연기하는 배우는 관객에게 오필리어가 단지 미쳤다는 사실만을 보여주기 위해 연기하는 것이 아니다. 오필리어의 영혼에 어떤 일이 일어나고 있는지, 오필리어가 어떤 고통을 느끼고 있는지를 관객이 배우의 연기를 통해 보고 듣고 느낄 수 있게 되어야 한다.

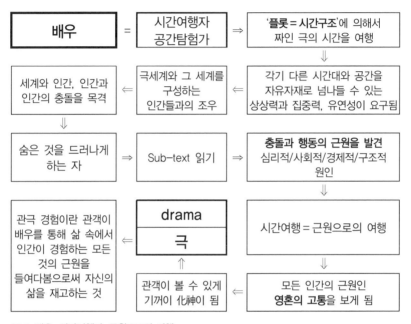

표 1. 배우, 시간여행자: 근원으로의 여행

영혼의 고통은 영혼의 외롭지만 숭고한 싸움으로부터 비롯된다. 누가 대신해줄 수 있는 싸움이 아니다. 대개 그 싸움을 가능하게 하는 에너지는 사랑 혹은 인간애를 가진 심장으로부터 솟구친다. 테네시 윌리엄스 작 <여름과 연기>(*Summer and Smoke*)의 주인공 앨머는 말한다. "내 영혼으로 널 사랑한 거야. 그래서 네가 날 아프게 했을 때 거의 죽을 뻔했어!"(99). 셰익스피어의 인물들처럼 영혼의 처절한 싸움을 하는 인물들로 연기 연습을 하면 할수록 연기가 나아질 수밖에 없다. 그 싸움은 숭고하고 아름답다. 자기가 연기하는 인물이 어떤 싸움을 어디까지 하고자 하는지, 그 와중에 인물의 영혼에 무슨 일이 일어나는지를 발견하는 여정이 배우의 희곡 읽기이자 연습과정인 것이다. 진정 용기 내어 영혼의 고행길에 의연하게 나설 때 배우는 이강백이 말하는 "진짜 한을 노래하고 진짜 흥을 춤추어라"(166)를 구현할 수 있는 연기의 경지에 도달할 수 있을 것이다.

1.4. 오감으로 상상하기

우리는 살면서 오감으로 경험하고 오감으로 생각하고 기억하며 오감으로 상상한다. 살아있는 인물들도 마찬가지이다. 인물을 연기하기 위해서 배우는 오감으로 생각하고 기억하고 상상하며 오감과 몸으로 경험하여야 한다. "배우는 전적으로 감각에 의존한다. 감각은 세상과의 소통을 향한 첫 번째 단계이다. 두 번째는 배우의 상상력이다. 상상력과 감각, 몸은 상호 의존적이다"(도넬란 26-27). 따라서 배우의 희곡 읽기는 오감으로 생각하고 기억하고 상상하는 읽기이다. 머리만이 아니라 감각과 몸으로 상상하는 과정이 배우의 희곡 읽기인 것이다.

그런데 대본과 인물을 분석하는 대부분의 배우들은 인물의 눈과 귀에 무엇이 어떻게 보이고 들리는가를 먼저 생각하기보다 다른 것들에 집중을 빼앗긴다. 대사를 어떻게 말하고 몸을 어떻게 움직일까에 집착한다. 예를 들어, <갈매기> 2막에서 눈부시게 빛나는 햇빛, 호수에 반짝이며 반사되는 햇살은 뜨리고린을 만날 생각에 들떠있는 니나와 죽인 갈매기를 들고 들어오는 뜨레쁠레프에게는 완전히 다른 햇빛으로 보이고 느껴진다.

두 인물이 각기 다른 인물로 각기 다른 극적 상황에 놓여있는 것은 햇빛이 다르게 보이고 느껴지는 것에서부터 시작된다. 햇살의 눈부심이 니나에게는 인생의 아름답고 환한 빛처럼 보인다. 평소와 다름없는 햇살이라고 해도 오늘따라 더할 나위 없이 밝고 아름다운 햇살처럼 느껴진다. 뜨리고린을 만나기에 오늘처럼 완벽한 날씨도 없다. 반면에 니나의 사랑을 잃어버린 뜨레쁠레프에게는 밝은 햇살이 더 이상 자신을 향해 빛나는 삶의 축복처럼 보이지 않고 환한 만큼 오히려 서러움과 서글픔만을 자아내는 따가움만으로 느껴진다. 호수에 반사되는 반짝이는 햇빛은 니나가 자신을 사랑했을 때 자신을 바라보던 눈빛처럼 보인다. 그래서 뜨레쁠레프는 니나의 변심을 호수에 빗대어 "마치 잠에서 깨어보니 이 호수가 말라버렸거나 땅속으로 모두 흘러 들어가 버린 것처럼, 당신의 냉담한 태도는 너무나도 무섭고 믿을 수 없어요"(140)라고 말하는 것이다. 그리고 뜨리고린이 멀리서 나타난 순간 니나의 눈빛이 예전에 자신을 바라볼 때처럼 밝게 빛나는 것을 목격하고 극도의 갈등과 고통에 사로잡히게 된다. 밝은 대낮이지만, 뜨레쁠레프는 심리적으로 1막의 어두움보다 더 짙은 어두움 속에 휩싸여 있다. 이렇게 같은 것에서 서로 다른 것을 보고 느끼는 두 인물의 만남과 충돌, 그것이 바로 장면이다.

오감과 몸으로 상상하는 배우는 진정으로 무엇이 말과 움직임을 낳는지를 알게 된다. 그리고 표현의 문제가 뒤따르지 않는다. 배우의 몸에 억압과 제한이 없다면, 배우의 모든 상상은 배우의 몸을 통해서 드러나기 때문이다. 몸 자체가 상상의 도구가 아니라 상상의 주체이기 때문이다. 오감과 몸으로 상상하지 않는 배우만이 자신 안에 없는 어떤 것을 겉으로 보여주기 위해 몸을 억지로 쓸 뿐이다. 대본에서 배우가 오감과 몸으로 상상하는 것들만이 생명과 의미를 가진 것으로 살아날 것이고, 관객의 오감과 몸에 전해질 것이다. 공연에서 배우가 해야 될 기본 역할은 자신이 보고 듣고 느끼는 것을 관객의 눈과 귀에 보이고 들리게 하고 관객의 피부에 와닿게 하는 것이다. 앞서 분석한 <햄릿>의 시작 장면에서 배우가 인물들의 심신을 지배할 정도의 추위, 피로, 허기 그리고 어둠을 오감으로 상상할 수 없다면, 살아있는 인물을 연기할 수 없고 그로 인해 인물들의 말과 행동도 관객에게 전혀 납득이 되지 않을 것이다. 추위와 어둠은 해당 장면 대사에서 바로 유추할 수 있지만, 한 달간이나 지속되는 비상 경계 태세는 장면이 한참 진행된 다음에야 언급된다. 장면을 온전하게 읽어내기 위해서는 작품 전체에서 산발적으로 주어지는 힌트들을 놓치지 않아야 한다.

배우가 오감으로 대본을 읽어야 하는 보다 중요한 연기적 이유는 극 안에서 인물들이 이미지에 사로잡히기 때문이다. 극 안에는 인물들의 눈과 귀, 코, 그리고 마음을 사로잡는 이미지들이 있다. 이 이미지들은 시공간 안에서 인물 밖에 존재하는 **외적 이미지**이거나 인물 내면에 떠오르는 **내적 이미지**로서 모두 감각적인 이미지들이다. 오감의 이미지들을 보고 듣거나 떠올리는 능력, 그리고 온몸과 마음이 그 이미지들에 사로잡히는 능력은 배우가 인물을 연기함에 가장 기본이 되는 능력이다.

외적 이미지는 극적 시공간에 존재하는 것들 중에 인물의 눈과 귀와 마음을 사로잡는 이미지들이다. 그냥 존재하는 것이니 그냥 보면 되는 것이 아니냐는 의문이 생길 수 있다. 이미지를 본다기보다는 그냥 대상에 대한 인식이라고만 여길 수도 있다. 하지만 극적 시공간 안에 존재하는 모든 것들은 모두 극적 의미와 효과를 위해 인위적으로 조성된 것들이다. 무대 세트, 바닥, 대도구, 소도구, 의상, 음향, 조명 등 모든 요소들은 진짜가 아니다. 그리고 이 모든 요소는 매우 사실적으로 조성될 수도 있지만, 많은 경우 매우 상징적이거나 추상적일 수 있으며, 미니멀하게 디자인될 수도 있다. 배우가 이렇게 인위적으로 조성된 환경을 있는 그대로 허구의 것으로 인식한다면 극적 환경은 배우의 눈과 귀와 마음을 사로잡을 수 없다. 따라서 인물이 될 수도 없다. 맥베스를 연기하는 배우에게 맥베스부인을 연기하는 여배우는 실제 배우 자신의 아내가 아니지만, 맥베스가 되기 위해서는 아내로 보여야 한다. 맥베스와 맥베스부인을 연기하는 인물 손에 묻은 피는 진짜 피가 아니지만, 진짜 피를 보았을 때처럼 반응이 일어나야 한다. 그래서 외적 **이미지**라고 부르는 것이고, 무대상의 모든 인식과 지각의 대상들을 배우는 인물의 관점에서 보고 듣고 냄새 맡을 수 있어야 하며, 그 이미지들에 인물만큼 온전히 사로잡힐 수 있어야 한다. <갈매기> 4막에서 뜨레쁠레프에게 들리는 바람소리와 니나에게 들리는 바람소리는 다르다. 그래서 바람소리로부터 인물에게 떠오르는 생각도 다르다. 배우가 음향에 의해 주어지는 바람소리를 인물의 관점에서 듣지 못한다면, 대본에서 그것을 읽어내지 못한다면, 배우는 대본을 전혀 해석하지 못하는 것이 된다.

내적 이미지는 인물이 상대인물이나 시공간 속에 놓인 어떤 대상을 보았을 때 자신의 마음속에 떠오르는 이미지들을 말하는 것으로 마음의 소리를 포함한다. 그 이미지들은 많은 경우 기억의 이미지들이며 상상의 이미지들이다. 인물들은 이 이미지들을 보며 **생각**을 한다. 그리고 그 생각이 말과 행동을 낳는다. 내적 이미지를 떠올리는 것을 **상상**이라고 한다. 내적 이미지를 상상하는 것은 살아 움직이는 내면을 가진 인물을 연기함에 있어서 배우에게 필수적인 연기력이다.

배우는 인물의 내적 이미지를 상대인물에게 그리고 관객에게 떠올릴 수 있게, 인물의 마음의 소리를 들을 수 있게 연기하여야 한다. 배우는 상

사진 1. 블루바이씨클프러덕션 제작. 〈스탑 키스〉(2015). 김준삼 연출. 아름다운극장.
　　　배우 故 김미정.

대인물의 눈을 향해, 혹은 관객과 카메라가 있는 방향에 있는 상상의 그
림판에 내적 이미지들을 비춰 보여야 한다. 상대인물에게 내비쳐 보이지
않는 이미지들은 반드시 관객에게 보여야 한다. 그래야 관객이 알 수 있
다. 무대상에서 배우가 행하는 모든 것은 관객에게 보이고 들리기 위해,
그래서 관객이 알 수 있기 위함이다.

1.5. 맹목 vs 내적 갈등

　　인물이 한 가지만을 상상할 때, 오로지 한 가지밖에는 보고 들을 수
없을 때 인물은 맹목적이 된다. 그것을 가장 잘 극화해서 보여주는 예가
아서 밀러의 <시련>(*The Crucible*)이다. <시련>은 인간이 한 가지만을
상상할 때 얼마나 맹목적일 수 있는지를 여실히 보여주는 작품이다. <시
련>에 등장하는 많은 인물들은 아비게일과 아이들이 하는 이야기를 곧이

곧대로 받아들일 뿐, 진짜로 일어난 일들은 볼 수도 없을뿐더러, 아비게일이나 다른 아이들을 움직이게 하는 동기가 무엇인지 전혀 볼 수 없다. 또한, 그들은 공포가 보게 하는 것, 그것만을 보고 그 공포가 불러일으키는 상상이 이끄는 대로 행동한다. 공포는 인물로 하여금 자신이 잃을 수 있는 것, 예를 들어 목숨, 명예, 부 같은 것만을 보게 하고, 그에 따라 극히 이율배반적인 생각과 행동을 하게 한다. 인간의 참모습은 공포로 인해 잃을 것이 커질 때 드러나며, 많은 극들은 바로 그와 같은 상황 속에서 인간의 선택과 도덕적 행동에 대해 탐구하고 있다.

문제는 배우들이 맹목적이고 단편적인 인물을 연기하지 않을 때에도 한 가지 상상만을 하려고 들 때 발생한다. 배우들은 대본을 읽으면서 인물의 동기나 목적 등을 생각하면서 대개 '한 가지' 답을 찾으려고 하는 경향이 있는데, 판에 박힌 인물이 아닌 복합적인 인물을 연기할 때는 문제가 된다. 왜냐하면 복합적인 인물은 최소 두 가지 이상을 상상하고 그 사이에서 생각과 마음이 왔다 갔다 하면서 갈등하기 때문이다. 뜨레쁠레프를 연기하려는 배우들은 뜨레쁠레프가 끝내 자살하는 이유가 니나가 자신을 사랑하지 않아서라고만 생각하는 성향이 있다. 니나가 자신을 사랑하지 않아서 자살을 한다면, 뜨레쁠레프는 니나가 모스크바로 떠났을 때, 니나가 뜨리고린과 같이 산다는 것을 알았을 때, 아니면 아무리 늦어도 니나가 뜨리고린의 아이를 낳았을 때 자살해야 맞을 것이다. 그렇게 연기하게 되면 배우는 작품의 주인공 격인 인물을 패배적인 인물로 연기하게 되고 작품 자체가 패배주의적인 작품으로 전락하게 된다. 4막에서 뜨레쁠레프가 니나를 다시 만났을 때 둘 사이에 정말로 어떤 일이 일어나는지, 4막에서 니나가 극중극 대사를 다시 했을 때 정말로 무엇을 보고 듣고 느꼈는지를 배우는 먼저 살피고 생각해야 한다. 뜨레쁠레프가 자살을 하는 것은 니나가 극중극 대사를 다시 하고 "격정적으로 뜨레쁠레프를 껴안은 다음, 유리문 밖으로 달려나간다"(184)라는 행동 다음에 이루어지기 때문이다. 그리고 달려나가는 니나를 아르까지나가 보면 안 된다고 걱정한 다음에 이루어지기 때문이다.

위대한 희곡들의 중요한 인물들은 모두 내적 갈등을 겪고 있다. 내적 갈등을 겪는다는 것은 인물이 최소한 두 가지를 보고 있고, 그 두 가지 생각이나 상상이 한쪽으로 기울어지지 않는 상태라는 것을 의미한다. 가장 대표적인 것이 햄릿의 "살아남느냐, 죽어 없어지느냐, 그것이 문제로다"(신정옥 108)일 것이다. 햄릿은 사는 것과 관련된 이미지들과 죽은 것과 관련된 이미지들 사이에 사로잡혀 있다. 상반된 이미지들은 둘 다 너무 선명하고 강해서 어느 쪽으로도 생각과 마음이 기울어지지 않는다. 그래서 '문제'인 것이다. 이 문제는 인물이 회피할 수 없듯이 배우가 회피할 수 있는 문제가 아니다. 사는 것과 관련해서도 햄릿은 과연 어떻게 사는 것이 대장부다운 것인지 두 가지를 보고 갈등하고 있다: 싸우는 것과 감내하는 것. 죽음에 대해서는 죽음을 경험해보지 않았기 때문에 죽는다는 것이 정말로 어떤 것일지, 잠자는 것과 같은지 아니면 꿈을 꾸는 것과 같은지 생각하고 고심하고 있다. 평안하게 잠들 수 있다는 생각에서 끝난다면 기꺼이 죽음을 택할 수도 있었을 테지만, 잠들어 꾸는 꿈이 악몽일 수 있다는 생각에 죽음을 결심할 수 없다.

심장이 쿵쾅쿵쾅하듯이, 중요 인물들은 절대 한쪽으로 쉽게 기울어지지 않는 생각과 상상 사이에서 갈등한다. 때로 그것은 머리와 심장의 싸움일 수도 있고, 심장과 오장육부의 싸움일 수도 있다. 인물의 살아있는 몸의 각기 다른 부분이 각기 다른 생각과 상상을 불러일으키기 때문이다. 그러므로 배우들은 인물들을 사로잡는 혹은 움직이는 두 가지 생각과 상상을 찾아야 한다. 분석을 하고 해석을 한다는 것은 한 가지 답을 찾는 일이 결코 아니다. 데클란 도넬란이 정확하게 지적하듯이, 하나의 의미와 확실성만을 추구하며 모호한 면을 피하려는 것은 삶의 복잡한 양면성을 지워버린다(323-24). 배우는 심장이 두 쪽으로 되어 있어서 박동을 하듯이 인물을 살아 움직이게 하는 두 가지 원동력을 찾아야 하는 것이다. 스타니슬라프스키가 말하듯이, "이중성은 창조활동을 촉진"시킨다(『성격구축』 33).

1.6. 상상력의 한계는 비극적·희극적 아이러니의 근간

모든 인물은 또한 상상력의 한계를 가지고 있다. 무한한 상상력을 가진 듯한 인물조차도 인간인 이상 우리 모두와 마찬가지로 유한한 상상력을 가지고 있다. 가장 뛰어난 인간이지만 정작 자기 자신에 대해서는 아무것도 몰랐던 오이디푸스왕의 경우에서 잘 알 수 있듯이, 인물은 신(神)이 아니다. 상상력의 유한성, 그로 인한 인식의 한계성은 우수한 드라마와 코미디의 아이러니를 가져오는 중요한 근간이 된다. 비극이든 희극이든, 모두 인간의 지적 능력의 유한성과 한계가 얼마나 큰 파국을 몰고 올 수 있는지, 아니면 한 발짝 떨어져서 본다면, 그것이 얼마나 어리석고 우스꽝스러울 수 있는지를 우리에게 일깨워주기 위해 존재하기 때문이다.

셰익스피어는 리어왕과 오셀로의 비극을 통해 인간의 인식과 상상력이, 제아무리 뛰어난들, 얼마나 유한한 것인지를 보여준다. 위대한 왕인 리어왕과 불패의 장군 오셀로는 가장 가까이에 있는 자신의 가족에 대해서는 아무것도 제대로 보고 알지 못하는 인식과 상상력의 한계를 가진 인물로서, 부지불식으로부터 비롯되는 극심한 고통을 경험하며 결국 파멸한다. 셰익스피어는 '보지 못해 알지 못하는 인간'을 자신의 비극과 희극의 근간을 이루는 인물로 삼았다.

<오셀로>의 이아고는 설령 거짓된 악의적인 정보에 근거한 것일지라도 상상이 인간의 마음을 얼마나 현혹하고 흔들 수 있는지, 그래서 헤어나올 수 없는 파멸의 구덩이로 어떻게 인간을 내몰아갈 수 있는지를 여실히 보여주는 인물이다. 오셀로도 맥베스만큼이나 존경받은 인물이지만, 이아고가 불러일으키는 상상이 몰고 오는 질투심에 눈이 멀고 만다. 맹목적이 되어 한 가지만을 상상한다. 이아고 같은 인물은 인간과 인간성에 대한 믿음이 확고해지던 시대에 인간의 불완전성과 맹목성의 위험을 경각시키는 인물이다.

배우는 인물이 가진 상상력의 한계를 알고 인물이 보고 듣고 상상하고 아는 정도만 연기해야 한다. 인물에 따라 이를 달리할 수 있어야 한다. 배우가 자신의 상대역이나 다른 인물들에 대해 지나치게 많이 알려고 드는 경우를 적지 않게 볼 수 있는데, 그 경우 배우의 시도는 오히려 인물이 되는 것을 방해할 수도 있다. 인물은 일체 알지도 못하고 하지도 않는 생각을 배우가 하고 고민하는 것은 인물이 되는 데 전혀 도움이 되지 않는다. 또한 배우는 대본 전체를 읽고 모든 정보를 미리 알고 있는 상태에서 연기하기 때문에, 극적 순간순간에 충실하지 않고 결말을 아는 것처럼 연기하는 함정에 빠질 위험에 놓여있다는 점을 명심하여야 한다. 인물은 자신의 말과 행동이 어떤 결과를 낳을지 알지 못하기 때문에 매 순간 최선을 다해 예측하고 모든 노력을 기울이는데, 결과를 미리 아는, 그리고 상대배우가 어떻게 반응할지 정확히 아는 배우는 예측하려는 노력을 게을리하기 때문이다. 그리고 본인도 모르는 사이에 뒤를 알고 있다는 것을 나타내는 예비 동작들을 하게 될 수도 있다.

햄릿은 아버지의 죽음과 관련된 일체의 사실을 알고 싶어 하지만, 확인하려는 시도를 할 수 있을 뿐 절대 자신이 모든 것을 보고 듣고 알 수 있는 것처럼 굴지 않는다. 그것이 햄릿과 다른 인물들을 구별 짓는 점이다. 다른 인물들은 보지 않고 듣지 않고 알지 않으려고 하는 반면, 햄릿은 정말로 보고 듣고 알고 싶어 한다. 그래서 그는 연극(예술)을 이용한다. 극중극을 통해서, 그리고 극중극에 대한 클로디어스의 반응으로부터 직접 볼 수 없었던 것을 보게 되고, 자신의 상상과 사건의 전말에 대한 확신을 갖게 된다.

2 ▪ 극세계의 구조와 배우적 상상

극이라는 것은 기본적으로 갈등 혹은 충돌을 담고 있다. 갈등과 충돌이 발생하는 것은 인물들이 극세계에서 다른 것을 보고 듣고, 다른 것을 원하며 그것을 이루기 위해 생각하고 행동하기 때문이다. 그렇기 때문에 배우들이 어떤 극세계 속에 인물들이 존재하고 있는지를 파악하는 것은 그 세계를 지탱하고 지배하는 구조와 질서와 법칙, 혹은 보이지 않는 힘이 무엇인지를 파악하는 것에서 시작되고, 이는 자신이 연기하는 인물이 무엇을 **위해** 혹은 무엇에 **대항해서** 싸우고 있는지를 파악하기 위해 반드시 선행해야 하는 작업이 된다. 마이클 블룸은 "연출가라면 등장인물의 궁극적 목적을 파악하기 전에 먼저 희곡의 구조를 이해하려 할 것이다"(56)고 하였는데, 배우들에게 그대로 적용되는 말이다. 개별 희곡의 특별한 구조에 대한 이해 없이 인물의 궁극적 목적을 알 수 없다. 희곡의 구조는 그 희곡이 창조하고 있는 세계의 구조, 그리고 그 속에서 일어나는 극적 사건을 그대로 구현하고 있기 때문이다.

강태경은 등장인물을 뜻하는 character의 그리스어 어근 'kharakter' 가 "깎다", "새겨넣다"의 의미를 가진 것으로 파악하면서, "변화무쌍한 인간의 생각과 감정을 단 하나의 표정에 각인한다", "즉, 어떠한 경우에도 명확한 정의를 거부하는—좀처럼 그 민낯을 드러내지 않는—인간이라는 미묘한 현상을 그 불변의 본질을 통해 포착한다"는 상징적 의미를 도출해내었다(『호모』22-23). 불변의 본질이 포착되고 각인된 인물(캐릭터)에는 그 인물이 존재하는 시대와 사회가 함께 각인되어 있다. 잔인한 운명이 인간을 추락시키는 세계에 놓인 인물이든, 친숙한 세계를 잃어버리고 낯선 세계에 버려진 부조리극의 인물이든, 인간에게 모순을 낳는 사회·경제적 구조를 드러내려는 서사극의 인물이든, 현실세계를 거부하고 꿈의 세계나 초월적 세계를 찾는 인물이든, 인물과 세계와의 연결고리를 보지 못한 채로 인물을 포착하고 각인할 수 없다. 정형화된 캐릭터가 아니라면 인물이 필히 남다른 고유함을 가져야 하는 것은 맞지만, 시대와 사회가 각인된, "명확한 정의를 거부하는" 복잡한 인물을 그 세계로부터 떼어내고 순전히 개인적인 차원에서만 파악하려는 것은 배우로 하여금 극과 무관한 작위적인 작업에 몰두하게 할 위험이 있다. 인물과 세계의 관계를 밝혀내지 못한 채로 인물을 이해할 수 없다.

인물들은 모두 극작가가 창조한, **아주 평범하지 않은** 시공간, 즉 극적 세계 속에 존재한다. "극적 행동의 전조적 공간"(강태경 『연출적』41) 으로서 극적 세계는 인물이 무엇을 보고 듣고 느끼는지, 그래서 무슨 생각을 하고 어떤 행동을 하는지 **선행적**으로 그리고 **근본적**으로 규정한다. 인물의 모든 상상과 그에 따른 반응과 언행은 극세계의 지배를 받는다.

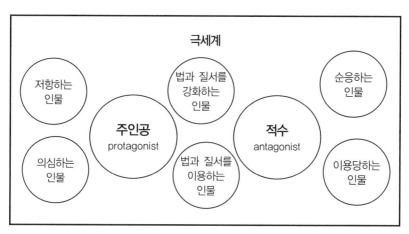

표 2. 극세계 속 인물들의 유형(예)

　　따라서 배우가 연기적 상상을 제대로 하기 위해 가장 먼저 주목해야
하는 상상은 극적 세계와 그 구조에 대한 상상이 된다. 구조는 일련의 법
칙들에 의해 지탱된다. 비극적 세계와 희극적 세계를 지배하는 법칙들은
매우 다르다. 구조와 법칙에 관한 상상이 선행하지 않는다면, 배우는 극적
세계와 무관한 인물을 창조하게 되고, 그렇게 되면 그것은 매우 작위적인
작업이 된다. 극적 세계를 움직이는 물리적・사회적・도덕적・윤리적・인
간적 법칙이나 규율, 그리고 원동력이 무엇인지를 파악해야만 배우는 비
로소 인물이 그와 같은 법칙・규율・원동력에 어떻게 영향을 받고 있는지
를 파악할 수 있다. 우리 모두가 그러하듯이, 인물들은 극적 세계를 살아
가면서 자기 자신도 의식하지 못하는 상태로 그와 같은 법칙들을 강화시
키거나 약화시킨다. 구조를 지탱하는 법칙들에 순응적이거나 반대로 도전
적이거나 반항적이다. 당대 최고의 인간상을 지향했던 비극의 주인공들로
부터 시작해서 대부분의 드라마 주인공들은 극적 세계의 구조와 법칙을
거스르고자 하는 인물들이다. 그와 같은 인물이 극적 세계에 존재하는 모

든 순간은 싸움의 연속이고 그로부터 비롯되는 내외적 갈등의 거미줄 속에서 몸부림치는 사투의 연속이다. 쉽게 말해서 극적 세계를 지배하는 힘이 무엇인지를 알아야 인물이 무엇에 대항해 얼마나 힘겹게 싸우고 있는지를 알 수 있는 것이다.

물론 이와 같은 구조에 대한 분석은 대개 연출적 상상의 중요한 부분을 차지하고 있지만, 평소 대본으로부터 극적 세계에 대한 상상을 게을리하는 배우는 '달나라에 사는 뜬금없고 생뚱맞은' 인물을 창조할 위험성이 크다. 만약 한 편의 극적 세계가 '꿈'의 구현이라면, 그 속에 등장하는 모든 인물들은 모두 꿈의 법칙에 따라 나타나고 움직이며 사라진다. 꿈을 지배하는 물리적 법칙은 현실의 물리적 법칙과는 완전히 다르다. 만약 그 꿈이 악몽이라면 등장인물이나 사물은 악몽 속에 등장하는 기괴한 형상을 하고 있을 가능성이 크기 마련이다.

2.1. 패턴에 대한 인식

"극은 플롯, 인물, 대화, 의미와 분위기를 형성하는 패턴들을 포함하고 있다." 그래서 "극을 읽는다는 것은 '패턴에 대한 인식'(*pattern awareness*)을 요구한다"(Thomas xxviii). 극에 반복되는 모든 것은 어떤 이유를 가지고 반복된다. 반복적 패턴을 통해서 극을 읽고 보는 이들이 표면적 외관을 넘어서서 극의 기저에 놓여있는 구조적 문제들을 인식할 수 있게 하기 위함이다. 패턴은 극적 세계의 참모습을 드러내는 엑스레이와 다름없는 장치이며, 인물들이 보이는 패턴은 인물을 움직이는 진정한 힘이 무엇인지를 밝혀주는 거울이다. <갈매기>에서 극중극 대사가 1막과 4막에 되풀이되는 패턴, <갈매기>의 인물들이 하나같이 다른 인물을 일방적으로 좋아하는 패턴에 대한 인식 없이 <갈매기>라는 작품이 무엇에 관한 작품인지 파악할 수 없다. 햄릿과 오필리어의 장면이 두 인물만의 사적인 장면이 되지 않는 패턴, 햄릿이 오필리어를 "아름다운 오필리어"라고 되풀이해서 부르는 패턴, <갈매기> 4막에서 니나가 퇴장하려다 멈추는 패턴과 "지쳤어 쉬었으면 좋겠어"를 되풀이하는 패턴 등에는 매우 중요한 극적·연기적 의미들이 담겨 있다. 의미가 패턴이라는 인식할 수 있는 형태를 통해서 가시화되는 것이다. 패턴을 형성하는 요소들을 발견하고 그것이 가지는 극적 의미를 이해하고 그것을 연기적으로 구현할 수 있는 배우의 연기는 차원이 다를 수밖에 없다. 극을 관통하고 있는 본질적인 패턴을 찾고자 하는 열망과 그것을 발견할 수 있는 능력은 배우를 높은 수준의 예술가로 격상시킨다.

　　강태경은 <밤으로의 긴 여로>에서 인물들이 보이는 "'접근−이탈'의 동선은 그 자체로서 뚜렷이 지각되는 하나의 신체적 패턴을 이루어 낼 뿐 아니라, 극 중 인물들이 겪어가는 내적 관계의 변화에 대한 중대한 표지로서 작용한다"고 지적하면서, 신체적 패턴이 "곧 이 가족 내에 공존하는 '애정−증오'의 근원적인 정서적 관계"를 형상화하고 있음에 주목하였다. "'접근−이탈'의 신체적 패턴과 '애증−증오'의 정서적 패턴이 겹쳐지면서 하나의 모체를 이루어 이 극의 극적 갈등(dramatic conflict)의 기본 골격을 형성하고, 이 갈등은 국면과 단계를 달리하면서 진전되어 마침내 예정된 결말"(『연출적』 118)에 도달하게 되는 것이다. 패턴에 대한 인식과 그것에 대한 신체적 가시화는 관객이 배우의 몸을 통해 극적 갈등과 극의 주제를 지각하게 하는 근원적 원리가 되는 셈이다.

　　패턴은 한 작품 안에서만 발견되는 것은 아니다. 작가가 작품마다 유사한 패턴을 보이는 경우 그 패턴은 작가의 작품세계를 들여다볼 수 있는 창(窓)이 된다. 셰익스피어처럼 여러 작품에 걸쳐 광기에 빠진 인물들을 다른 인물들과 대비시키거나, 말 대신 노래하게 한다거나, 어머니를 부재하게 하거나, 여성 인물로 하여금 남성으로 변장하게 하는 패턴 등은 셰익스피어라는 극작가의 작품들을 관통하는 주제의식을 인식하게 하고 그의 극들을 더욱 정교하게 들여다볼 수 있게 해준다.

2.2. 극적 아이러니(dramatic irony)

앞서 언급했던 '말의 아이러니' 혹은 '중의성'과는 별도로 배우는 **극적 아이러니**라는 극의 구조를 잘 이해하고 있어야 한다. 구조적으로 극적 아이러니를 적극 활용하는 작품은 근본적으로 **인간의 인식이 가지는 제한성**의 문제를 극화하고 있기 때문에 연기에 지대한 영향을 미친다. 극적 아이러니가 구조화된 작품세계 속에서 인물들은 심각한 인식의 한계를 보이며, 그로 인해, 드라마든 코미디든 상관없이, 극심한 고난과 고통에 빠진다. 극적 아이러니라는 것은 관객이 극 중 인물보다 더 많은 것을 알고 있는 상태에서 극을 볼 때 생겨나는 느낌이다. 극의 다음 순간을 알 수 없는 상태에서 진행되는 인물의 행동과 극적 아이러니 상태에서 이루어지는 인물의 행동은 관객에게 사뭇 다른 반응을 낳는다. 따라서 배우의 연기적 목표도 달라지게 된다.

극적 아이러니는 셰익스피어가 많은 작품에서 다양하게 자유자재로 활용하고 있다. <십이야>의 바이올라, <뜻대로 하세요>의 로잘린드, <베로나의 두 신사>의 줄리어 등의 경우처럼, 관객은 셰익스피어 희극의 여주인공들이 사랑하는 애인의 진심을 알기 위해 정체를 숨기고 남장을 하고 있다는 것을 알고 있는 상태에서 극을 관람하게 된다. 이럴 경우 관객은 여주인공과 일종의 **공모**(共謀) 관계를 형성하게 되며, 여주인공의 입장에서 남자주인공의 실체 혹은 진심을 살피게 된다.

다음은 <한여름 밤의 꿈> 2막 1장에 나오는 오베론의 대사이다. 오베론은 퍽에게 마법의 꽃을 가져오도록 명하고 그 꽃즙을 드미트리어스의 눈에 발라주라고 명한다. 퍽은 실수로 라이샌더의 눈에 꽃즙을 바르게 되고, 오베론의 꾸중을 들은 다음 드미트리어스에게 꽃즙을 다시 발라주게 되면서, 두 남자가 동시에 헬레나를 사랑하게 되는 장면이 펼쳐진다.

원래의 우윳빛이
사랑이 상처로 이제는 자주로 변했는데
처녀들은 그것을 펜지라고 부른단다.
내가 한번 보여줬던 그 꽃을 가져와라.
잠자는 눈꺼풀에 그 꽃즙을 바르면
눈 뜨고 처음 보는 생물에게, 남자든 여자든
미치도록 혹하게 만들 수 있단다. (35)

관객은 정말로 라이샌더와 드미트리어스가 처음 본 여자와 사랑에 빠지게 되는지, 사랑을 한다면 얼마나 어떻게 사랑하는지를 예의주시하게 되며, 실제 헬레나에게 정열적으로 구애하는 두 남성의 모습에 경악하며 쓴웃음을 짓게 된다. 아테네에 있을 때에는 헬레나를 싫어하고 멀리하던 두 남자가 숲에 들어와 뻔뻔스럽게 헬레나를 사랑하는 모습을 보면서, 관객은 과연 그들이 아테네에 있을 때에도 혹은 눈에 꽃즙이 발라지지 않았더라도 헬레나를 흠모하는 마음이 전혀 없었을지 의심하게 된다. 극적 아이러니 속에서 네 연인이 숲속에서 펼치는 혼란스러운 사랑의 장면은 흔히 "사랑에 눈이 멀다"는 표현을 극적 장치로 활용한 셰익스피어의 놀라운 극작술이 반영된 결과이다.

라이샌더와 드미트리어스를 연기하는 배우는 마치 다른 두 인물을 연기하는 것처럼, 눈을 떴을 때 순식간에 헬레나에 눈이 멀고 오로지 헬레나만을 열렬히 사랑하여야 한다. 인물의 일관성 같은 것은 더 이상 아무런 의미도 없고 중요하지도 않다. 배우가 더 열렬히 사랑하면 할수록 극적 아이러니는 커지게 된다.

극적 아이러니를 보여주는 또 다른 대표적인 장면이 <리처드 3세>에서 리처드가 레이디 앤에게 구애하는 장면일 것이다. 리처드는 독백을 통해 미리 자신이 레이디 앤을 자기 여자로 만들 것임을 예고한다. 하지만 이 미션은 사실상 불가능한 미션이 되는데, 왜냐하면 레이디 앤의 남편과 시아버지를 자신이 죽였기 때문이다. 하나의 장면 안에서 철천지원수인 자신을 레이디 앤의 남편으로 변화시켜 놓는 것이 리처드가 해내야 한 임무이다. 실패는 용납되지 않는다. 관객에게 미리 장담했기 때문이다. 관객은 미리 리처드라는 인물이 장면 안에서 무슨 행동을 할지 알고 있는 상태에서 장면을 보게 된다. 그랬을 때 관객의 관심은 전적으로 '어떻게' 리처드가 자신이 공언한 바를 달성해 나가는가에 있다. 설마 가능할까 하는 의구심을 가지고 장면을 지켜보면서 리처드가 그것을 정확하게 성공해낼 때 관객은 감탄과 경악을 금치 못하게 된다. 레이디 앤의 마음을 돌리는 일이 어설프거나 억지로 이루어진다는 느낌을 조금이라도 갖게 된다면, 관객은 리처드와 공연을 비웃게 될 것이다. 관객은 이미 리처드가 레이디 앤에게 하는 모든 말과 행동이 거짓임을 알고 있다. 배우가 해야 될 바는 거짓처럼 연기하는 것이 아니다. 반대로 레이디 앤을 정말로 사랑하는 것처럼 연기해야 한다. 거짓된 것을 진짜인 것처럼 레이디 앤과 관객으로 하여금 믿게 하는 것, 그것이 이 장면에서 리처드를 연기하는 배우의 임무이다. 일이 성사되고 나자 리처드는 마치 관객에게 보란 듯이 자랑하듯 독백을 한다.

> 대체 이러한 계재에 구혼을 받아들인 여자가 있을까? 저 여잔 이제 나의 것이다. 그러나 오래 가질 생각은 없다. 어떠냐! 남편과 아비가 무참히 살해당해 증오심에 불타고 있고, 입에서는 저주가 가시지 않고, 눈엔 눈물이 마르지 않고, 나에 대한 원한의 증거인 피를 쏟고 있는 시체를 바라보면서도 내 손아귀에 들어오다니. 더구나 그쪽은 양심이니, 그 밖에 여러 가지 방패가 있고, 이쪽이야 도와줄 사람은 하나도 없고, 고작 악마와 위선의 가면뿐인 내가 그 여잘 거머쥐다니! 이것이야말로 세상을 얻은 것과 마찬가지가 아닌가! (38)

또 하나의 예는 <십이야>에서 말볼리오가 가짜 편지를 주인 아씨의 진짜 편지로 오인하고, 주인 아씨가 자신을 정말로 사랑한다고 생각하게 되는 장면이다. 말볼리오는 가짜 연애편지가 진짜인 줄 알고 눈물까지 흘리며 감격한다. 만약 이 장면이 극적 아이러니가 없는 상황에서, 즉 관객도 말볼리오처럼 그 편지가 진짜라고 생각하는 상황에서 벌어지는 장면이라면 말볼리오의 눈물에 관객도 함께 눈물짓게 될 것이다. 하지만 극적 아이러니 상황에서 말볼리오가 하는 모든 말과 행동은 관객들에게 폭소를 자아내게 한다. 실제로 데클란 도넬란이 연출한 <십이야> 내한 공연에서 이 장면은 말볼리오 역을 연기한 배우가 감격의 눈물을 흘릴 때 관객들에게 눈물 나게 웃긴 장면으로 다가왔다. 저자가 지금까지 경험한 최고의 극적 아이러니였다.

이처럼 극적 아이러니 상황에서는 관객이 배우들의 연기를 통해서 보게 되는 점이 달라지기 때문에, 배우의 연기적 목표는 달라지게 된다.

인물의 일관성보다는 극적 아이러니의 가정에 놀랍도록 부합하게 연기할 것이 요구된다. 레이디 앤에게 가짜 구애를 하는 리처드 3세가 놀라운 진짜 구애의 연기를 보여주면 줄수록 관객은 훨씬 더 극과 인물을 이해하고 인물들의 행동과 그 결과에 대해 더 생각하게 되며, 리처드 3세의 연기가 조금이라도 어설프다면 극적 상황 자체를 억지스러운 것으로 치부해버리게 되고 극에서 마음이 멀어지게 될 것이다. 리처드 3세를 연기하는 배우는 관객에게 이야기할 때의 모습과 레이디 앤에게 구애하는 모습이 한 인물이라는 것이 전혀 믿기지 않을 정도로 차이를 보여야 하고, 필요하다면 마치 한 인물이 아니라 두 인물인 것처럼 연기할 필요가 있다. 리처드 3세는 관객에게 독백을 할 때를 제외하고는 왕이 될 때까지 오직 연기하면서 극적 세계 속에서 존재하는 인물이다. 자신의 목표를 위해 어떠한 연기적 변신도 서슴지 않는 인물인 것이다. 왕이 되고 결국 모든 것을 잃을 즈음에야 악몽에서 깨어난 리처드 3세는 비로소 "리처드는 리처드를 사랑한다. 그러니 곧 나는 나란 말이다"(186)라며 연기자(player)로서의 모습을 내려놓고 자신을 온전히 인정하고 받아들이게 된다.

2.3. 메타구조: 연극 안의 연극

<햄릿>과 <갈매기>의 공통점을 꼽으라면, 두 작품 모두 연극 안에 연극, 즉 극중극(a play within a play)을 포함하고 있다는 것이다. 극중극은 매우 특별한 연극적 형식이다. 극중극은 연극 안에 존재하는 또 하나의 연극이기 때문에 관객의 눈에는 그 자체로 두드러져 보이는 인식의 대상이 된다. 관객들이 극중극이 있는 작품의 공연을 보러 갈 때에는 과연 연출과 배우들이 극중극을 어떻게 연출하고 연기했을까가 꽤 흥미로운 관

람 포인트가 된다. 따라서 극중극은 매우 특별한 의미와 형식을 가진 것으로 각별한 관심과 노력으로 연출되고 연기되어야 한다.

<햄릿>과 <갈매기>의 극중극이 더욱 특별한 이유는 작가가 극중극을 2회 반복하고 있기 때문이다. 햄릿은 무언의 신체연극(dumb show)으로 첫 번째 극중극을 제시하고 연이어 같은 내용을 대사가 있는 연극으로 되풀이하고 있다. 그리고 두 번째 연극은, 오늘날의 관점에서 보았을 때, 나레이터가 있는 브레히트적 서사극의 형식으로 구성함으로써 '생각하는 연극'을 지향하고 있다. 공연 시간의 제약으로 많은 공연은 극중극을 1회로 축약함으로써 두 가지 다른 형식으로 진실의 거울을 세우고자 하는 셰익스피어의 의도를 퇴색시키고 있다.

"연극이야말로 왕의 양심을 낚아챌 유일한 방법이다"(강태경 85)라고 선언하는 햄릿에게 현실세계에 대한 거울로서 극중극은 허위의 세계에서 진실을 밝히기 위한 예술적 노력이다. 현실보다 리얼한 그리고 보이지 않는 것을 보이게 하려는 극중극이 진행되는 동안, 햄릿은 줄곧 클로디어스와 다른 인물들의 반응을 예의주시하게 된다.

사실 <햄릿> 안에는 햄릿이 연출한 극중극 외에도 많은 극중극이 존재한다. 햄릿이 미친 척하는 상태에서 하는 폴로니어스, 로젠크랜츠와 길던스턴, 오필리어와의 장면은 또 다른 형태의 극중극이며, 클로디어스가 자신의 실체를 숨기고 연기하는 모든 순간들도 극중극이나 다름없다. 연극 속의 연극, 연기 속의 연기를 통해서 셰익스피어는 <햄릿>의 세계가 허위·가식·위장이 진실·실체와 충돌하는 메타구조의 세계임을 밝히고 있다. 그래서 <햄릿>의 극중극은 거짓의 세계인 <햄릿> 속에서 가장 리얼하고 생생한 인식의 대상으로 태어나야 한다.

스텔라 애들러가 지적하듯이, "<갈매기>는 연극쟁이들에 대한 연극이다." "연극에 대한 토론, 그것에 대한 이해, 그것을 벗어나고 싶은 사람들, 그 속에 계속 있고 싶어하는 사람들'(『입센』 304)의 이야기이고, 인물들이 연극 안에서 연극을 보는 각별한 행동을 한다. <갈매기>의 극중극은 뜨레쁠레프와 니나에게 매우 특별한 순간이다. "필요한 건 새로운 형식입니다. 새로운 형식이 필요하고, 만일 그게 없다면 아무것도 없는 게 더 나아요."(114)라고 말하는 뜨레쁠레프는 기존 연극과는 확연히 다른 새로운 연극을 통해 자신의 예술과 사랑이 결합되기를 바라고 있다. 니나에게는 사람들 앞에서, 특히 뜨리고린 앞에서 자신을 처음 배우로 소개하는 설레고 떨리는 기회이다. "당신 연극은 연기하기가 힘들어요. 그 속에는 살아 있는 인물이 없어요", "움직임이 적고, 말뿐이에요. 희곡에는 꼭 로맨스가 있어야 된다고 생각해요."(117)라는 니나의 코멘트로부터 뜨레쁠레프의 낯선 연극은 니나에게는 뜨리고린에게 소개하기에는 여러모로 주저하게 하는 이상한 연극이다. 극중극은 기존 연극의 형식과는 확연히 다르게, 그래서 낯설고 예사롭지 않게 연출되기를 기다리고 있다. 공연에서 연출이 극중극을 어떤 스타일의 극으로 연출하느냐에 따라 배우의 연기는 근본적으로 달라지게 된다. 연출이 없는 상태에서 배우가 혼자 상상할 때에는 기존의 연극 형식에 얽매이지 않고 자유로운 자신만의 상상 그리고 자신만의 소리와 몸짓으로 연습해볼 필요가 있다.

　　<갈매기>에서 극중극이 보다 중요한 의미를 가지는 것은 일회적으로 그치지 않고 4막에 되풀이되며, 극중극의 중단과 재개가 극의 근본구조를 형성하면서 작품의 핵심적 주제를 담고 있기 때문이다. 4막의 극중극은 관객이 목격하는 여주인공 니나의 마지막 순간으로서 '배우'로서의 그녀의 달라진 모습을 정직하고 아름답게 담고 있다. 마치 에디트 피아프(Edith Piaf)가 "라비앙 로즈"(La Vie en Rose)를 부르는 순간을 연상시

킨다. 이 최후의 공연을 뜨레쁠레프는 작가이자 유일한 관객으로서 지켜보게 된다. 관객은 1막의 극중극에서의 니나의 연기와 4막의 극중극에서의 연기가 어떻게 달라졌는가를 보게 되고, 무엇이 그 차이를 낳는가에 대해서 생각해보게 된다. 그리고 니나의 연기가 유일한 극 중 관객인 뜨레쁠레프에게 어떤 작용을 하는가를 지켜보게 된다. 4막의 극중극은 뜨레쁠레프가 그토록 바라던 사랑과 예술의 결합, 자신과 니나의 결합을 구현하여야 하고, 그에 따라 극중극을 하는 니나에게서 한 번도 본 적이 없는 빛나고 아름다운 모습이 드러나야 한다.

"기억나죠?"(183)라는 말로 극중극을 시작하는 것에서 알 수 있듯이, 니나의 연기를 달라지게 한 것은 그녀의 삶, 그것으로부터 형성된 기억, 그리고 생명 같은 사랑이다. 그 세 가지 요소가 관념적이고 추상적으로 여겨지던 뜨레쁠레프의 차가운 대본에 따뜻한 생명의 기운을 불어넣는다. 메릴 스트립이 시상식에서 했던 연설, "Take your broken heart into art"를 니나는 그대로 구현하고 있다. 연극과 예술을 통한 삶의 승화, 그 고귀한 행동을 통해 니나는 빛나는 존재가 되는 것이다.

니나의 극중극이 남긴 여운이 <갈매기>의 결말에 오래도록 지속된다. 그 여운 속에서 뜨레쁠레프는 "2분간, 말없이 자기 원고를 모두 찢어 책상 밑에 버리고는 오른쪽 문으로 퇴장"(184)하는 마지막 행동을 한다. 원고를 찢는 소리와 바람 소리만이 무대를 휘감는다. 4막의 극중극은 <갈매기>의 결말을 결정짓는 매우 중요한 역할을 한다. 극중극으로 시작한 <갈매기>가 극중극을 통해서 모든 결말이 이루어지기 때문이다. 체홉은 <갈매기>에서 자신이 하고 싶은 이야기를 두 번에 걸친 특별한 극중극에 집약하고 있는 것이다.

2.4. 〈햄릿〉의 극적 세계에 대한 상상

얀 코트(Jan Kott)가 선언적으로 말하고 있듯이, "셰익스피어는 세상 혹은 삶 그 자체이다"(5). 햄릿이 극중극을 위해 직업배우에게 연기에 대한 조언과 주문을 하면서 연극의 목적이 "예나 지금이나 한결같이 자연을 거울에 비추어 보이는 것"이고 "그 시대와 실체를 인상 깊게 드러내 주는 것"(신정옥 116)이라고 했듯이, 셰익스피어의 극은 삶과 세상을 그대로 담고 있다.

〈햄릿〉이라는 극세계가 세상의 어떤 면을 구현하고 있는가를 알기 위해 먼저 〈햄릿〉의 극세계를 지배하고 있는 클로디어스왕부터 살펴보아야 한다. 공교롭게도 선왕을 암살하고 보위에 오른 클로디어스왕의 첫 등장은 매우 정치적인 연설로 시작된다. 클로디어스의 연설을 읽거나 들으면 연설이 쉽게 이해되지 않는데, 우리는 마치 셰익스피어가 원래 어려워서 혹은 번역이 매끄럽지 못해서 어려운 것으로 치부하게 된다. 하지만 클로디어스의 정치적 연설은 우리로 하여금 무언가를 분명하게 인식하게 하기 위한 연설이 아니라, 역으로 우리의 인식을 흐리게 할 목적으로 이루어지는 연설이기 때문에 우리가 또렷하게 이해하지 못하는 것이다. 여석기가 지적하듯이, 클로디어스는 소위 '**모순어법**'을 사용하고 있는데, 그것은 "서로 양립할 수 없는 말을 짜 맞춰서 감정을 복잡하게 하거나 논리를 애매하게 하는 표현"(66)이다. "한쪽 눈엔 웃음을, 또 한쪽 눈엔 눈물을", "장례식에는 찬가를, 결혼식엔 만가를"(신정옥 27)에서처럼, 클로디어스는 뚜렷이 구분되어야 할 두 가지 것의 경계를 의도적으로 흐리게 한다. 그렇게 하는 의도는 국민들이 모든 것을 또렷하게 인식하지 못함으로써 자신의 정체를 숨기고 자신의 등극을 정당화하며 자신이 의도하는 대로 국민을 통치하기 위함이다. 그래서 형수를 아내로 삼고, 조카를 아들로 삼는 클로디어스 통치하의 국민들은 클로디어스의 실체를 포함해서 그들이 사는 세상의 참모습을 정확히 보지 못한다. "이 덴마크라는 나라는 어딘가 썩었어"(신정옥 52)라고 말하는 병사 마셀러스는 무언가가 썩었다는 막연한 인상과 느낌만을 가질 뿐, 무엇이 왜 어떻게 썩었는지는 모르고 있다. 클로디어스의 모순화법은 "거기에 맞서는 햄릿의 상대의 허를 찌르는 직설적 화법과는 사뭇 대조적"(여석기 66)이다. 햄릿은 클로디어스의 정치적 연설이 의도하는 바를 정확히 꿰뚫고 있는 것이다.

마이클 블룸은 "한 장면의 구조는, 더 나아가서 전체 희곡의 구조는 종종 대사 한 마디의 구조와 흡사하다"(86) 하였는데, 대표적인 것이 <햄릿>의 첫 대사이다. 잘 알려진 대로, <햄릿>은 "거기 누구냐?"(Who's there?)(신정옥 17)라는 단 두 마디의 대사로 시작된다. 보초를 서고 있는 프란시스코가 아니라 교대하러 오는 바나도가 누구인지를 묻고 있는 첫 대사는 그 역할의 '**뒤바꿈**'으로 앞으로 펼쳐질 <햄릿>의 세계가 무언가가 뒤바뀐 세상임을 예고하고 있다. 그리고 나아가 <햄릿>의 세계가 정체를 제대로 알 수 없는, 또렷이 무언가를 인식할 수 없는 세상이자, 곳곳에 알 수 없는 무언가가 도사리고 있는 섬뜩한 세상임을 예고하고 있다. 첫 대사에 압축되어 있는 작가적 상상과 작품의 구조와 의미를 읽어낼 수 없다면, <햄릿>은 시작조차 제대로 하지 못하게 될 것이다.

비극의 주인공으로서 햄릿에 관해서는 무구한 세월 동안 헤아릴 수 없을 정도로 많은 이들이 연구와 분석을 진행해 왔지만, 햄릿의 근본적인 괴로움이 어디에서 기인하는 것인지 어느 누구도 절대적인 답을 내놓고 있지는 못하다. 햄릿이 그만큼 복잡한 캐릭터이고 셰익스피어가 그만큼 위대한 작가이기에 쉽게 분석될 리는 없겠지만, 아쉬운 점은 배우적 관점에서 혹은 인물의 상상이라는 관점에서 햄릿이라는 인간을 이해하고자 하는 시도는 찾기 어렵다. 작가이지만 배우이기도 했던 셰익스피어가 햄릿이라는 인물을 창조함에 있어서 햄릿에게 어떤 남다른 상상력을 부여했을지 궁금하지 않을 수 없다. 다른 인물들은 갖지 못한 상상력을 햄릿은 가지고 있다.

햄릿은 문무를 겸비한 당대 최고의 인간상을 반영하고 있다. 극 중 등장하는 어떠한 인물보다도 뛰어난 상상력과 학식, 그리고 몸쓰기 능력을 가진 햄릿을 연기해야 하는 배우가 햄릿의 눈에 보이는 것이 다른 인물의 눈에 보이는 것과 어떻게 다른지를 알지 못한다면, 햄릿의 고민이나 괴로움 자체를 이해할 수 없다. 햄릿이 왜 복수를 지연하고 있는지, 왜 그리도 매몰차게 오필리어를 대하는지를 알 수가 없다. 배우적 상상력은 항상 그리고 우선적으로 극적 세계와 시공간 속에서 그리고 다른 인물들과의 관계 속에서 인물이 무엇을 보고 듣고 냄새 맡고 맛보고 피부로 느끼는가에 대한 상상이다. 감각적 상상만이 인물을 이해하고 인물에 도달할 수 있는 길이다. 배우적 상상력으로 바라봤을 때 햄릿의 괴로움은 햄릿이 다른 인물들은 보고 들을 수 없는 것을 홀로 보고 들을 수 있다는 것에서 기인한다.

가장 뛰어난 인간인 햄릿은 과연 다른 인물들이 보고 듣지 못하는 무엇을 보고 들을 수 있었을까? 선왕의 유령을 볼 수 있다는 일차원적인 사실에 눈길을 뺏기기 쉽지만, 햄릿이 <햄릿>의 극세계 안에서 남다르게 볼 수 있는 것은 바로 **겉으로 보이는 외관이 실체와 다르다**는 것이다. '보는 것'(see)과 '~인 것처럼 보이는 것'(seem)의 차이는 햄릿이 첫 등장에서 클로디어스·거트루드와 날카롭게 대립하며 역설하는 부분이다.

보이다뇨, 전하! 아니, 사실입니다.

'보이다'니 라는 것, 알지도 못합니다.

이 검은 외투만이 아닙니다, 어머님.

의례적인 무거운 검은 상복도,

가슴 조이는 벅찬 한숨도,

내를 이루듯 샘솟는 눈물도,

수심에 풀죽은 얼굴 모습도,

비애에 찬 천태만태의 격식이나, 표정이나, 모습도,

저의 진정을 드러내는 것이 아닙니다.

하기야 그런 것들은 **그럴듯하게 보이는** 거죠.

그따위 **연극**쯤은 누구나 할 수 있으니까요.

그러나 이 가슴에는 그러한 슬픔의 겉치레로 보일 수 없는 것이 있으니

그런 건 비통의 장식이요, 의복에 지나지 않는단 말입니다.

(신정옥 30-31)

햄릿은 겉으로는 그럴듯하게 보이는 '연극'을 꼬집고 있다. 클로디어스의 모든 외적 가장(假裝)을 '연극'이자 '쇼'로 간파하고 있는 것이다. 겉으로 보이는 것과 실체의 차이, 햄릿의 모든 갈등은 여기에서 시작된다. 이 차이를 햄릿을 제외한 나머지 인물들은 보지 못하고 있다. 햄릿의 아버지를 살해한 클로디어스는 한 나라의 왕으로서 <햄릿>의 극 중 세계, 즉 겉과 속이 다른 세계, 현상과 실체가 다른 세계를 구축하는 절대자이다. 그래서 그가 집행하고 지시하는 모든 것들은 음모가 된다. 햄릿을 제외한 다른 인물들은 그와 같은 클로디어스의 참모습을 보지 못하고, 클로디어스가 구축하는 표리부동의 세계에 순응하거나 기여하거나, 이용된다. 클로디어스에게 이용되는 인물들은 폴로니어스, 레어티즈, 그리고 로젠크랜츠와 길

던스턴이 대표적이다. 이 인물들의 공통점은 겉으로 보기엔 멀쩡해 보이나 모두 타락하고 방탕한 남자들이다. 그들의 도덕성을 감안한다면 그들이 사는 세상의 겉모습과 실제 모습이 다른 것이 전혀 이상하거나 문제가 되지 않는 인물들이다. 하지만 누구 하나 정작 클로디어스의 속마음과 속뜻은 알지 못한 채로 이용만 당하고 모두 햄릿에 의해 죽음을 맞이한다. 클로디어스, 폴로니어스, 로젠크랜츠와 길던스턴은 늘 햄릿을 감시하지만, 햄릿을 제대로 알지 못한다. 그만큼 그들의 보는 능력은 햄릿의 능력에 미치지 못한다.

셰익스피어는 이런 인물들에 대항하는 인물들로 햄릿에게 배우들, 즉 예술가들을 붙여준다. 햄릿은 자신이 보고 상상한 것을 연극(예술)을 통해 눈뜬장님이나 다름없는 다른 인물들에게 보게 하려고 한다. 햄릿이 극 중 배우들에게 조언한 대로, 연극(예술)을 **삶의 참모습을 들여다볼 수 있는 거울**로 제시하는 것이다. 햄릿과 배우들은 극적 상상력으로 선왕의 살해에 관한 전모를 극으로 재구성하고, 그것을 극 중 인물들에게 **보여준다.** 볼 수 있게, 그래서 알 수 있게 말이다. 하지만 극중극을 보고난 인물들 중 살해의 당사자인 클로디어스를 제외하고는 어떤 인물도 햄릿이 제시하는 극중극의 의미를 제대로 보고 읽어내지 못한다. 거트루드가 의구심과 죄책감을 느끼긴 하지만, 극중극에서 일어나는 일들이 사실일 것이라고는 전혀 생각지 않는다. 그것을 안 햄릿은 어머니 거트루드에게 자신이 보는 것을 보게 하려고 애쓰지만, 그래서 실제로 어머니의 눈에다 대고 선왕의 영정과 클로디어스의 초상을 비교해서 보게 하려고 하지만, 뜻대로 되지 않고 어머니 마음에 상처만 안겨준다.

극중극이 끝나고 선왕의 살해와 관련된 모든 것이 분명해졌지만, 상상력이 남다른 햄릿의 괴로움은 여기에서 끝나지 않는다. 죄의식 속에서 기도하는 클로디어스를 죽이려던 햄릿은 칼을 거둔다. 아버지를 죽인 간악한 원수로 보이던 클로디어스가 한순간 참회를 통해 천국에 가 있는 선인의 모습으로 보이기 때문이다. 햄릿이 아니라 다른 인물이었다면, 절치부심 기다려왔던 복수의 순간에 다른 것은 눈에 들어오지도 않았을 것이다. 하지만 햄릿의 눈에는 다른 것이 보이기 때문에 그는 다른 선택, 다른 행동을 할 수밖에 없는 것이다.

자기 혼자만 다른 것을 볼 수 있다는 것은 다른 인물들의 관점에서 봤을 때는 햄릿을 미친 사람이 되게 한다. 햄릿도 이런 점을 알고 오히려 자신이 먼저 미친 척 행동을 하게 되지만, 겉과 속이 다른 세계 속에서 위장한 시간이 길어질수록 정상과 광기의 경계가 모호해지고 자신의 정상성을 의심하게 된다. 커튼 뒤에 숨어있던 것이 클로디어스가 아니라 폴로니어스였다는 사실은 <햄릿>의 극세계가 얼마나 인간의 인식을 왜곡하는지, 다시 말해, 인간으로 하여금 제대로 보고 생각하고 상상하기 얼마나 어렵게 하는지, 그로 인해 인간이 얼마나 광기의 늪에 빠지기 쉬운지를 여실히 보여주고 있다. 커튼은 실체를 제대로 볼 수 없게 하는 <햄릿>의 극세계를 핵심적으로 대변하고 상징적으로 시각화하는 극적 장치인 셈이다.

"엘시노어 성에서 모든 커튼 뒤에는 누군가 숨어있다"(Kott 60). <햄릿>의 극세계가 보이지 않는 커튼 뒤에 보이지 않는 힘의 세력을 숨기고 있다는 것은 햄릿과 오필리어의 장면에 위태롭고 거친 긴장을 조성한다. 정말 신기하게도, 셰익스피어는 햄릿과 오필리어가 둘만이 함께 있는 장면을 의도적으로 극에 포함시키지 않았다. 무대 위에서 숨겨진 다른 눈들이 없는 상태에서 햄릿과 오필리어가 단둘이 만나는 순간은 한순간도 없다. <햄릿>의 극세계는 바로 그런 세계이다. 그야말로 낮말은 새가 듣고 밤말은 쥐가 듣는 세계이다. 정치 체제로는 경찰국가나 다름없는 세계이다. 그런 세계 속에서 그런 세계에 저항해야 하는 적통 왕자로서 햄릿은 오필리어와의 사랑이 가능하지 않다고 보게 된다. 얀 코트의 지적대로, 햄릿은 오필리어를 사랑하지만, <햄릿>의 세계 속에서는 사랑을 위한 자리는 없다(61). 겉과 속이 다른 <햄릿>의 극적 세계 속에서 순수한 영혼을 가진, 나쁘게 말하면 모든 것을 좋게만 보려고 하는 오필리어가 파괴되지 않고 살아갈 수 없다는 것을 알기에 햄릿은 오필리어에게 그리도 가혹하고 매몰차게 수녀원에 가라고 윽박지르는 것이다. 사방에 숨어서 보고 듣는 눈과 귀가 있는 상황에서 햄릿은 오필리어에게 직설적으로 이야기할 수 없다. 햄릿은 오필리어 앞에서 **잔혹연극**을 하며 오필리어의 순응적 시각과 상상을 깨뜨리려고 하지만, 오필리어에게 상처만 입힐 뿐이다.

오필리어 주변의 인물들은 전부 남자들이다. 그리고 오필리어에게 현실세계의 남성적 법칙에 눈뜰 것을 강요한다. 오필리어에게 아버지 폴로니어스나 오빠 레어티즈가 해주는 충고라는 것은 남자는 전부 늑대이고 타락한 존재, 이율배반적인 존재이니 쉽게 몸과 마음을 주지 말라는 것이다. 셰익스피어는 장황할 정도로 그 부분에 대해서 많은 이야기를 한다. 하지만 여성적 상상력을 가진 오필리어는 아버지, 오빠, 그리고 연인 햄릿을 포함해서 남자들의 진짜 모습을 볼 수 없기에 그 말이 이해가 되지 않는다.

극이 진행될수록 사랑하는 사람들이 자신을 떠나고 죽는 진짜 이유들을 전혀 볼 수 없는 상태에서 오필리어는 아픈 상실만을 경험하게 된다. 실제로 <햄릿>의 모든 인물들 중에서 유일하게 오필리어가 미치게 되는 것은 <햄릿>의 극적 세계를 형성하는 구조와 지배하는 법칙들이 오필리어의 순수한 영혼에서 비롯되는 시각 및 상상과 정반대되기 때문이다.

셰익스피어는 마치 <햄릿>의 극적 세계가 변화하기 위해서는 오필리어 같은 순수한 영혼의 희생이 요구된다고 말하는 것처럼 오필리어를 잔인하게 파멸시킨다. 하지만 오필리어의 파멸은 가슴 아프게 아름답다. 죽느냐 사느냐를 고민하는 햄릿과는 달리, 오필리어는 삶과 죽음의 중간지대인 광기의 영역에 들어간다. 이 광기의 시공간은 현실의 물리적 법칙에 얽매이지 않고 시간과 공간이 자유롭게 변화하는 곳이다.

오필리어는 자신만의 세계, 엘시노어 궁전과는 완전히 다른 세상 속에서 자유롭게 상상하고 살며, 말 대신 **노래**한다. 말은 현실세계의 법칙을 담고 있다. 그것은 남성적·위계적 구조의 산물이다. 다른 세계를 살아가는 오필리어가 노래를 자신의 새로운 언어로 삼은 것, 노래를 통해 다른 방식으로 말하는 것은 당연한 귀결이다. **노래는 오필리어적 상상의 언어인 것이다.** <리어왕>에서 미친 거지로 변장한 에드가와 광대가 삶의 부조리성을 **노래**하는 것도 같은 맥락에서 이해할 수 있다. 현실과 완전히 다른 세계로 퇴행해버린 오필리어가 물에 빠져 죽을 수밖에 없는 것은 그녀가 광기 속에서 살고 있는 세계와 현실의 물리적 세계가 다르기 때문이다. 발을 헛디딜 수밖에 없는 것이다. 오필리어가 자살했다고 해석할 수도 있지만, 광기 속에서 오필리어가 자살이라는 현실적 판단을 할지는 미지수이다. 그녀 눈에는 물이 물로 안 보였을 가능성이 더 크다. 그런 관점에서 그녀의 죽음은 예고되었다고 볼 수 있다. 혹은 무의식적으로 물이 되어 바다 건너 떠난 햄릿에게로 흘러가고 싶었는지도 모른다.

광기의 오필리어가 보고 상상하는 것과 다른 인물들이 보는 것은 완전히 다른 것이 된다. 자신만의 상상의 공간 속에서 광기의 오필리어가 '꽃'이라고 부르는 것들은 다른 인물의 시각에서는 전혀 꽃이 아니다. 오필리어를 연기하는 배우에게 오필리어의 꽃을 어떻게 상상하고 해석하느냐는 매우 중요한 문제이다. 꽃은 셰익스피어의 여주인공들 중에서 가장 비참한 파국을 맞는 것처럼 보이는 오필리어를 희생양이 아닌 비극의 주인공으로 자리매김하기 때문이다. 연출가와의 논의를 통해 오필리어의 손에는 실제로 꽃이 들려있을 수도 있고, 아무것도 없을 수도 있고, 아니면 꽃 이외의 다른 것이 들려있을 수도 있다. 중요한 것은 오필리어가 사람들에게 무언가를 **주고 간다**는 것이다. 감시와 억압의 엘시노어 성에서 다른 사람들에게 무언가를 나누어주는 존재는 오필리어뿐이다. 주는 것은 크나큰 **사랑**의 행위이다. 그렇기에 오필리어는 극 중 다른 어떤 인물보다 숭고하고 아름다운 존재가 된다. 오필리어는 사람들에게 무엇을 주고 가는 것일까? 오필리어는 꽃을 주면서 "생각"(thoughts)과 "기억"(remembrance)을 위해서 준다고 한다.

> 이것은 만수향, **기억**하라는 뜻이야— 나의 사랑, 잊지 마세요— 그리고 이것은 상사꽃, **생각**해 달라는 거예요. (신정옥 180)

오필리어는 극 중 인물들과 관객들에게 생각할 것과 기억할 것을 요구하고 있는 것이다. 그래서 미친 오필리어가 하는 말은 제정신으로 보이는 사람들에게 "사실보다 뼈저리다"(신정옥 180). 무엇을 생각하고 기억할 것인지를 해석하고 상상하는 것은 배우가 오필리어를 연기하면서 관객에게 의미 있는 무언가를 남겨주기 위해, 그리고 자신이 연기하는 인물이 패배자나 희생양이 되지 않게 하기 위해 매우 중요한 작업이 된다. 필자가 배우훈련 과정에서 만난 무수한 오필리어들 중에는 자신의 눈에서 흘러내리는 **영혼의 눈물**을 나누어주는 배우도 있었고, 자신의 **숨**을 손에 고이 담아주는 배우도 있었고, **심장의 온기**를 손바닥으로 전해주는 배우도 있었다. 그와 같은 배우들의 상상은 오필리어를 셰익스피어의 인물들 중에서도 단연 돋보이는 인물로 살아나게 한다. 배우의 상상에 의해 오필리어는 진정 "슬픔과 괴로움, 고통과 지옥도" "사랑스럽고 아름다운 것으로 바꾸는"(신정옥 180) 존재가 되는 것이다. 햄릿이 그토록 오필리어를 "**아름다운 오필리어**"(**the fair Ophelia**)[1]라고 부르는 진정한 의미가 오필리어 자신을 통해서 구현되는 것이다.

<햄릿> 공연의 연출가들이 <햄릿>의 극세계에 대해 위와 같은 상상을 똑같이 할 가능성은 희박하지만, 배우가 평소에 희곡을 접하고 극적 세계에 대해 위 분석에 상응하는 상상을 구체적으로 하지 않는다면, 연출가가 제시하는 <햄릿>에 대한 독특한 연출적 상상과 해석에 부합하는 연기적 상상을 할 수 있는 연기력을 갖기는 힘들다.

2.5. 〈갈매기〉의 극적 구조와 극세계에 대한 상상

<갈매기>의 세계는, 데카르트적 세계관을 빌리자면, '나는 사랑한다, 고로 존재한다'는 식의 세계이다. 이것을 이해해야만 배우는 <갈매기>의 인물이 될 수 있고, 그래서 <갈매기>의 세계를 구축하는 데 기여하게 된다.

2.5.1. 제목 "갈매기"의 의미

갈매기는 하늘을 날아오르지만 늘 호숫가 주변을 맴돈다. 즉, 날고

---

[1]   거트루드나 레어티즈는 오필리어를 'sweet' Ophelia라고 부르며, 클로디어스는 'pretty' Ophelia라고 부르는 반면, 햄릿은 시종일관 'the fair' Ophelia라고 부른다.

싫어 하지만 몸과 마음이 대상 주변을 떠나지 못하는 역설적 상황에 놓인 인간을 상징한다. 그러다 우연히 누군가가 쏜 총에 맞아 추락하거나 파멸하는 인간을 상징한다. 그런 관점에서 갈매기는 특정 인물을 가리키는 것이 아니라, <갈매기>에 등장하는 모든 인물을 상징하는 이미지이다. 가슴에 사랑을 담고 날아갈 꿈을 꾸지만 인생에서 상처를 입고 추락한 채 살아가는 인간을 상징하는 제목이 바로 갈매기이다.

니나와 뜨레쁠레프는 젊은 세대로서 특히 자신을 갈매기와 동일시한다. 자신의 전부나 다름없는 니나의 변심을 깨달은 뜨레쁠레프는 호숫가에서 하늘을 날고 있는 갈매기를 보다가 그 갈매기를 총으로 쏘아 떨어뜨린다. 그리고 죽은 갈매기를 니나의 발아래 던지며 "머지않아 나도 이런 모양으로 자살할 겁니다"(139)라고 말한다. 니나는 "난―갈매기예요 . . . 그게 아냐. 난―배우예요. 네, 그래요"(182)라며 자신을 직접적으로 갈매기에 비유한다. 갈매기였던 니나는 4막에서 자신이 "배우"라고 한다.

> 이제 난 그렇지 않아요 . . . 난 진짜 배우고 만족스럽게, 환희에 차 연기하는 데다, 무대에서 황홀해하며, 스스로 멋지다고 느껴요. 이곳에 사는 동안 난 거닐었고, 거닐며 생각하고, 생각하며 매일 내 영혼의 힘이 어떻게 성장하고 있는지 느끼게 되었어요. . . . 꼬스쨔, 난 이제 알아요. 이해해요. 우리가 무대에서 연기하건 글을 쓰건 상관없이 우리한테 중요한 건 명예도 광채도 내가 꿈꿨던 것도 아니라, 인내할 줄 아는 거라는 걸. 자기 십자가를 질 줄 알고 믿음을 갖는 거죠. 난 믿음이 있어. 그렇게 고통스럽지 않고, 내 본분에 대해 생각하면, 삶도 두렵지 않아요. (182-83)

갈매기였던 상태에서 달라진 점은 "인내하는 능력", "본분"과 "믿음"을 갖추게 되었다는 것이고 그것이 니나로 하여금 인생을 두렵지 않게 한다.

<갈매기>의 이야기는 갈매기 상태였던 니나가 배우로 성장해가는 이야기이며, 갈매기와 자신을 동일시한 뜨레쁠레프가 결국 자신이 쏜 총에 맞아 죽은 갈매기가 되어가는 이야기이다. 뜨레쁠레프의 자살은 절망의 행동이 아니라, 자신이 죽인 갈매기를 니나의 발아래 던졌던 것처럼, 죽어서라도 니나와 함께 하겠다는 뜨레쁠레프의 사랑의 행동이다.

2.5.2. 극의 근본 구조: 극중극의 중단과 지연 그리고 재공연

<갈매기>는 <햄릿>처럼 극중극이 중요한 역할을 한다. 그런데 극중극이 왜 1인극인가? 연극을 통한 사랑의 완성을 꿈꾸는 뜨레쁠레프가 선택한 극은 왜 2인극이 아닌 1인극인가? 그것은 니나의 몸과 뜨레쁠레프 자신의 영혼(대사)이 결합하는 것을 꿈꾸기 때문이다. 따라서 다른 배우가 필요하지 않다. 그러나 그 결합은 1막의 극중극에서는 실패한다. 뜨레쁠레프와 니나가 연극을 통해 하나가 되기는커녕 니나와 뜨리고린이 서로에게 강력한 끌림을 경험한다.

실패한 극중극은 오랜 지체 끝에 4막에서 성공한다. 4막에서 뜨레쁠레프는 자신이 꿈꾸던 '**예술과 사랑의 완전한 결합**', 즉 니나(배우)와 자신의 영혼(대본)이 하나로 결합되는 것을 목격한다. 4막에서 뜨레쁠레프가 자살할 수 있었던 이유도 그토록 원하던 결합을 마침내 목격했기 때문이라고 볼 수 있다. 니나가 끝끝내 자신을 떠났기 때문이기도 하겠지만, 오랜 세월 계속 니나를 따라다니고 변함없이 니나를 기다려온 그가 마침내 자살을 결심하게 되는 데에는 또 다른 요인이 있어야 할 것이다. 그것이 없다면 뜨레쁠레프는 또다시 니나를 쫓아가야 맞을 것이다.

뜨레쁠레프에겐 이제 단순히 니나와 연인 사이냐 아니냐가 더 이상 중요한 문제가 아니다. 다시 찾아온 니나의 입에서 극중극 독백이 흘러나

왔을 때, 뜨레쁠레프는 자신이 생각하지도 못한, 예기치 못했던 사랑과 예술의 완성을 목격하게 되는 것이다. 놀랍게도 니나는 대사를 하나도 잊어버리지 않고 있다. 1막에서는 전혀 이해할 수도 없던 대사가 인생 전체를 아름답게 집약하는 듯한 대사로 바뀐다. 연기하지 않고 그저 **기억**하려고 했을 뿐인데, 니나의 인생 경험과 기억이 놀랍게도 뜨레쁠레프의 대사들을 살아 숨 쉬고 의미 있는 것으로 아름답게 바꾸어놓는다. 자신과 니나가 하나가 된 듯한 벅찬 경험을 하게 되는 것이다.

니나가 대사를 미처 다 끝내지 못하는 것은 더 이상 대사를 진행할수 없을 정도로 감정이 북받쳐 오기 때문이다. 그래서 급히 그 자리를 뜨고자 하는 것이다. 뜨레쁠레프 앞에서 울고 싶지 않기 때문이다. 니나 자신도 그 대사를 하면서 그런 경험을 하게 될 줄은 꿈에도 몰랐을 것이다. 인생에 대해서 연기에 대해서 새로운 깨달음을 경험하는 순간이었다. 외적으로는 헐벗을 대로 헐벗은 모습의 니나였지만, 극중극 대사를 하면서 니나는 눈부시게 빛난다. 뜨레쁠레프가 너무나 오래 꿈꾸어온 바로 그 모습이 눈 앞에 펼쳐지는 순간이다. 오랜 시간 지연되어온 결합이 마침내 완성되는 것을 본 뜨레쁠레프에게는 더 이상 여한이 남아 있지 않은 것이다.

이처럼 배우는 대본에서 항상 인물의 행동을 촉발시키는 요소들을 읽어낼 수 있어야 한다. 그저 뜨레쁠레프는 원래 성격이 그러하니까, 예를 들어 콤플렉스가 심하고 우울증을 겪고 있으니까, 자살할 수밖에 없다고 생각하는 것은 많은 배우들이 저지르는 오류이다. 2막에서 갈매기를 죽이고 나타나서 금방이라도 죽을 것처럼 굴던 뜨레쁠레프는 한 차례의 자살 시도가 있긴 했지만, 니나가 떠난 후에도 절대 죽지 않는다. 그런 그가 자살을 하게 되는 이유는 4막에서 니나와 함께 있는 시간 동안에 일어난 일에서 실마리를 찾아야 한다. 그것이 바로 서브텍스트를 읽어내는 것이다. 대본에 쓰인 말만 가지고 인물을 파악하는 것은 서브텍스트가 아니다. 표면에 드러난 것만 가지고는 체홉 작품을 절대 제대로 이해할 수 없다.

2.5.3. 끝없는 사랑, 끝나지 않는 사랑, 끝낼 수 없는 사랑

<갈매기>에서 사랑은 극 자체를 가능하게 하는, 극 구조의 근간을 이루는 영혼 같은 것이다. 뜨레쁠레프의 극중극이 이야기하는 "우주 속에 영원히 변하지 않는 것은 오직 영혼뿐이다"(122)에서 영혼은 바로 끝없는 사랑을 하는 영혼으로서, <갈매기>에 등장하는 모든 인물들의 영혼세계를 지칭하는 표현처럼 보인다. 그리고 "도대체 얼마나 많은 사랑인가. . . . 오, 마법의 호수여!"(130)라는 도른의 말처럼, 호수(대자연이자 자궁) 주변 <갈매기>의 인물들을 살아 움직이게 하는 것은 바로 사랑이다. 니나가 "언제라도 내 생명이 필요하면, 와서 가져가세요"(157)라는 뜨리고린이 쓴 소설의 문구로 뜨리고린에게 사랑을 고백하듯이, 사랑은 곧 생명이다. "내 힘으로는 당신을 사랑하는 걸 그만둘 수 없었어요"(181)라는 뜨레쁠레프의 고백은 심장이 뛰는 것을 멈추게 할 수 없는 것처럼 살아있는 동안 사랑을 자의로 멈출 수 없다고 말한다.

생명 같은 사랑, 멈출 수 없는 사랑, 내 생명 다할 때까지 끝나지 않는 사랑, 이 사랑은 니나와 뜨레쁠레프 두 인물의 '**초목표**'나 다름없으며, 더 나아가 <갈매기>란 작품 전체의 초목표이자 주제가 된다. <갈매기>가 명작인 이유는 바로 이 특별한 사랑에 있다.

<갈매기>의 인물들은 한결같이 결코 이루어질 수 없는 사랑임에도 불구하고 이상하리만치 사랑을 멈추지 않는다. 포기하지 않는다. 받아들여지지 않는 사랑을 그 모든 고통에도 불구하고 계속해간다. 유일하게 이루

어진 것처럼 보이는 니나와 뜨리고린의 사랑은 상대적으로 매우 짧은 사랑으로 끝이 난다. 그런 의미에서 <갈매기>에서 뜨리고린의 니나를 향한 사랑은 사랑이라기보다는 '욕망'으로 정의하는 것이 더 타당해 보인다. **<갈매기>식 사랑을 하는 인물들은 결코 그 사랑의 대상을 바꾸지 않기 때문이다.** 뜨리고린만이 그 대상을 바꾼다. 뜨리고린이 자신을 놓아달라고 했을 때 아르까지나가 "당신은 내 인생의 마지막 페이지야! 나의 기쁨, 나의 자랑, 나의 행복. . . 만일 당신이 날 단 한 시간이라도 버린다면, 난 견디지 못하고 미치고 말 거야. 나의 멋지고 훌륭한 지배자"(158)라는 말로 필사적으로 뜨리고린을 붙잡는 것은 바로 뜨리고린을 향한 사랑 없이 자신은 아무 존재도 아니며 더 이상 살아갈 수 없기 때문이다. 여기서 사랑은 생존본능이나 마찬가지이다. 마샤를 보기 위해 매일 같이 길고 험한 길을 오가는 메드베젠꼬의 몸과 마음을 움직이는 것도 바로 끝나지 않는 사랑이다. 다른 남자와 결혼까지 해가며 삶을 포기하지 않고 마샤를 살아있게 하는 것도 바로 끝나지 않는 사랑이다. 극의 마지막에 소린이 죽은 것처럼 암시되는 이유는 소린은 사랑의 대상이 없기 때문이다. 물론 연로한 나이로 인해 그런 것일 수도 있지만, 다른 인물에 비해서 사랑의 대상을 가지지 못한 소린이 삶을 마감하는 듯한 암시는 작품의 근본 구조이자 전반적인 주제인 '사랑'의 관점에서 봤을 때 지극히 부합하는 설정이다.

뜨레쁠레프가 엄마가 싫어할 연극(극중극)을 하는 이유도, '1인극' 연극(극중극)을 니나와 하려는 이유도, 연극(극중극)을 중단시키는 이유도, 잠도 잘 수 없고 밥도 안 먹히고 글도 쓸 수 없는 이유도, 갈매기를 쏴 죽이는 이유도, 자살을 시도하는 이유도, 니나를 끝까지 따라다니는 이유도, 니나를 기다리는 이유도, 실제로 자살하는 이유도, 뛰는 심장을 멈추게 할 수 없는 것처럼 스스로의 힘으로는 멈출 수 없는 생명 같은 사랑 때문이다.

나나가 숨넘어갈 듯 울면서 달려오는 이유도, 연극(극중극)을 하는 이유도, 호수에 끌리는 이유도, 모스크바로 떠나는 이유도, 다시 돌아오는 이유도, 바람과 추위 속에 떨며 기다리는 이유도, "너무나 피곤해요! 쉬었으면 좋겠어요. . . . 쉬었으면"(182)이라고 말하는 이유도, "누가 있군요 문들을 잠가 주세요. 누가 들어올지도 모르니"(179)라고 말하는 이유도, 자신을 '갈매기'라고 부르는 이유도, 자신을 '배우'라고 부르는 이유도, 삶이 더 이상 두렵지 않은 이유도, 연극(극중극)을 다시 하는 이유도, 생명 같은 사랑을 하기 때문이다.

나나와 뜨레쁠레프의 모든 말과 행동은 바로 이 특별한 사랑에서 나오는 것이다. 대본의 가장 밑에 놓인 이 사랑을 대본으로부터 읽어내어야 하고, 역으로 이 사랑의 관점에서 인물의 모든 말과 행동을 이해해야 하는 것이다. 연애의 감정이나 통속적 사랑을 넘어서는 그와 같은 사랑을 심장에 담지 않고, 사랑하는 사람을 눈과 영혼에 담지 않고, <갈매기>는 읽힐 수도, 분석될 수도, 연기될 수도 없다. 배우는 인물의 눈으로 모든 것을 보고 들어야 하는데 나나와 뜨레쁠레프를 하려면 모든 것을 생명 같은 사랑의 눈으로 보아야 한다. 그렇지 않고서는 <갈매기>에서 아무것도 보이지 않고 아무것도 읽히지 않을 것이다.

<갈매기>가 명작으로 재탄생하는 때는 그와 같은 눈과 영혼과 심장을 가진 배우가 그 사랑을 알아볼 때이다. 극이 무엇인지 알아야 좋은 연기를 할 수 있다. '초목표'란 흔히들 알고 있듯이 작품 전체를 관통하는 인물의 동기만을 뜻하는 것이 아니라, 인물이 보고 듣고 생각하고 느끼는 것을 '**근원적으로 지배하는 것**'을 가리킨다.

체홉이 <갈매기>에서 이렇게까지 사랑을 강조하는 이유가 궁금하지 않을 수 없다. 그와 관련해 니나가 4막에 다시 등장했을 때 자신을 갈매기가 아닌 배우라고 되뇌는 것에서 우리는 갈매기와 배우의 차이를 생각해보아야 한다. 4막의 니나는 반복적으로 "난―갈매기예요"라는 말을 바로 이어지는 "그게 아냐. 난―배우예요"(182)라는 말로 부정하고 수정한다. 그러면서 자신이 예전엔 갈매기였다면, 지금은 달라졌다고 한다. 그것은 바로 이제는 중요한 것이 "인내할 줄 아는 거"(182)이기 때문이다. "자기 십자가를 지고 믿음을 갖는 거죠"(182)라는 니나의 말에서 "십자가"는 곧 '멈추지 않는 사랑'이고 "믿음"이란 '사랑으로 살아갈 수 있다는 믿음'이다. 니나가 터득한 인내하는 능력은 끝나지 않는 사랑으로 인해 생겨난 능력이다. 멈추지 않는 사랑이 없다면 우리에게는 삶을 인내할 능력이 생겨나지 않는다. 사랑은 인간에게 상처와 고통을 안겨줄지는 모르나, 사랑 없이 삶을 살아가는 것은 가능하지 않다. 사랑은 생명의 불꽃이나 마찬가지이다. 마지막 숨을 거둘 때까지 사랑은 끝나지 않을 것이다. 아니, 마지막 숨을 다한 이후에도 심장이 완전히 식을 때까지 사랑은 멈추지 않을 것이다. <갈매기>에서 나를 그리고 너를 살아있게 하는 이유이자 원동력, 그것은 바로 사랑인 것이다. 설령 그 사랑이 아무리 고통스러울지라도 말이다. 그리고 바로 그 사랑으로 인해 <갈매기>의 인물들은 인간적 존엄과 아름다움을 가진 존재가 되어간다.

<갈매기>는 특이하게도 그리고 매우 중요하게 3막과 4막 사이에 상당한 시간의 경과가 있다. 체홉이 시간의 경과를 통해서 관객들이 보기를 바라는 것은 무엇인가? 시간의 흐름 속에서 변하는 것들과 변하지 않는 것들을 대조적으로 보여주기 위한 설정임이 틀림없지만, 가장 중요한 대조는 바로 끝없는 사랑, 끝나지 않는 사랑, 끝낼 수 없는 사랑을 하는 이

들과 그렇지 않은 이들이 어떤 모습으로 변화했는가에 있다.

마샤와 니나는 표면적으로는 현실에서 훨씬 더 비참한 삶을 살고 있는 것처럼 보이지만, 사실 그들은 훨씬 더 강해졌다. 시종일관 니나를 좋아하고 그녀를 뒤쫓아 다닌 뜨레쁠레프도 불같고 철없이 행동하던 이전 막들과 비교하면 훨씬 더 성숙한 모습을 보인다. 작가가 되었다는 것 자체가 그가 얼마나 성장하고 강해졌는가를 말해주는 것이다. 작가가 되고 싶다고 누구나 쉽게 작가가 될 수 있는 것은 아니기 때문이다. 그에 비해 니나와의 사랑을 끝낸 뜨리고린이나, 사랑의 대상이 없는 소린 같은 경우에는 급격히 늙거나 죽음을 앞두고 있다.

2.6. 상이한 법칙이 지배하는 세계의 공존 혹은 대비

한 작품 내에서 각기 다른 법칙이 지배하는 공간이 공존하는 경우도 많다. 셰익스피어의 희극에서 자주 볼 수 있는데, <한여름 밤의 꿈>의 아테네 궁전과 숲, <뜻대로 하세요>의 도시와 농촌처럼, 셰익스피어는 두 개의 상이한 법칙들이 지배하는 공간을 제시하면서 인물이 각각의 공간에서 얼마나 다른 사람이 될 수 있는지를 대조하고 있다. 이럴 때 배우는 한 인물이면서도 매우 다른 상상과 반응, 행동방식을 보이는 인물을 창조해야 한다. 그것은 마치 두 명의 다른 인물을 연기하는 것이나 마찬가지이다.

한 공간의 법칙만 알고 다른 공간의 법칙에 적응하지 못하면 인물은 파멸을 맞게 된다. 대표적인 것이 박조열 작의 <오장군의 발톱>일 것이다. 농촌에서 자연의 법칙에 따라 자연과 조화를 이루며 살아가던 오장군은 강제로 징집되어 완전히 상이한 법칙과 힘이 지배하는 전쟁터에 나아

사진 2. 경희대학교 연극영화학과 정기공연 〈동지섣달 꽃 본 듯이〉(2008). 경희대 A&D홀.

가 결국 희생되고 만다.

　이강백 작 〈동지섣달 꽃 본 듯이〉에는 겹겹의 시공간이 중첩된다. 어머니를 찾아 도시, 바다, 산으로 떠난 세 형제가 맞닥뜨리게 되는 세상은 각기 다른 상상의 원리가 지배하는 세계이다.

　첫째 아들은 정승 아들의 목숨을 구한 것을 계기로 정승집에 들어가 표현하지 않고 감추는 법, 그리고 정승의 진짜 아들 대신 볼모로 가기 위해 정승의 거짓 아들로 살아가는 법을 배운다. 그와 같은 교육을 통해 첫째가 보고 듣고 그래서 알 수 있게 된 것은 겉으로 드러난 모습들이 모두 거짓이라는 것과, 표면의 거짓을 낳게 하는, 혹은 표면의 거짓을 움직이는 숨은 힘, 즉 권력이 존재한다는 것이다. 그와 같은 상상력을 갖게 된 그는 와신상담, 인고의 세월 끝에 모든 것을 한 번에 뒤집는 정치적 고수가 된다. 하지만 그 와중에 자신의 "마음속에 핀 꽃"인 정승 딸을 잃게 되는 씻을 수 없는 아픔을 경험한다.

둘째 아들은 스님이 된다. 그것도 대각국사가 된다. 둘째가 절간 마당에 앉아 마른 나무에 꽃이 필 때까지 움직이지 않고 터득한 것은 세상의 모든 것들은 자신의 욕망이 불러일으키는 허상이고 그 허상이 마음을 어지럽힌다는 깨달음이다. 마음의 평정을 가능하게 하는 상상력은 바로 허상을 버리고/보지 않고 인간 본성의 참마음이 떠오르게 하는 것을 볼 수 있는 능력이 된다.

막내는 광대가 되어 예술세계로 들어간다. 셋째는 '산을 물로, 물을 산으로 자유자재로 볼 수 있는 능력', 즉 세상에 존재하는 모든 것을 예술적 상상력에 의해 달리 볼 수 있는 능력을 갖게 된다. 그리고 진정한 한과 흥이 무엇인지를 처녀 광대의 희생을 통해서 알게 된다.

어머니를 찾아 떠난 세 아들이 각기 다른 시공간으로 가서 그 세계를 움직이는 것이 무엇인지 볼 수 있는 시각과 상상력을 갖게 되고, 자신에게 그와 같은 깨달음과 상상력을 가능하게 했던 존재를 각기 자신의 어머니로 찾아서 돌아오게 되는 것이다. 세 아들의 성장은 바로 각 인물들의 독보적인 상상력 습득과 궤를 같이하는 것이다. 극의 진행과 더불어 변화해 가는 인물의 시각과 상상력을 갖게 될 때 배우는 비로소 인물이 될 수 있는 것이다.

3 ▪ 관계와 배우적 상상: 관계는 행동에 선행한다

극적 세계는 그 자체로 존재하지 않는다. 우리가 살아가는 사회가 그러하듯이, 하나의 세계는 그 세계를 살아가는 인간들과 인간관계를 통해서만 존재할 뿐이다. 극적 세계도 마찬가지이다. 오로지 인물들과 그 인물들이 맺고 있는 관계를 통해서만 존재하고, 그를 통해 우리에게 가시적인 세계로 인지할 수 있게 된다. 따라서 극적 세계에 대한 분석과 상상은 필연적으로 그 세계 속에 존재하는 인물들과 그 관계들에 대한 분석과 상상으로 향하게 된다.

사실 배우에게 있어서 연기적으로 보았을 때 가장 중요한 상상이 바로 관계에 대한 상상이다. 왜냐하면 극의 모든 말과 행동이 일차적으로 관계에서 비롯되기 때문이다. 배우들은 자주 인물의 말과 행동이 인물의 성격에서 비롯된다고 생각하지만, 말과 행동은 인물이 맺고 있는 관계들이 인물에게 유발시키는 것이다. 관계가 달라지면 말과 행동도 달라진다. 그렇지 않다면 인물은 고정적인 말과 행동만을 하게 되고 따라서 극히 고정적인 인물이 된다. 그런 인물은 극적 흥미를 끄는 인물로서 기능적 역할을 할 수는 있겠지만, 고정적인 인물은 단순하고 그렇기에 배우가 연기적으로 크게 어렵지 않게 연기할 수 있다. 주인공을 포함해서 극의 주요 인물들은 모두 복잡한 인물들이며 관계에 따라서 다르게 말하고 행동하며, 극이 진행됨에 따라 모두 변화한다. 극적 세계 속에서 극적 사건들을 거치면서 주요 인물들이 달라지지 않는다면, 모든 극적 사건들은 별 소용과 의미가 없는 것이 되어버린다. 봐도 안 봐도 그만인 사건으로 전락한다.

극적 세계 속에서 인물이 맺고 있는 관계는 크게 1) 시공간(환경)과의 관계, 2) 상대인물과의 관계, 3) 인물을 사로잡는 내적·외적 이미지와의 관계로 나뉜다. 이 세 가지 관계에 대한 특별한 분석과 비범한 상상이 배우로 하여금 존재 의미가 있는 인물의 창조를 가능하게 한다.

3.1. 시공간과 배우적 상상

살아있는 모든 생명체들은 시간의 흐름 속에서 물리적 공간 안에 존재하고 그 공간으로부터 끊임없이 영향을 받는다. 인물들도 모두 물리적 공간 속에 존재한다. 극작가가 제시하고 연출가가 무대의 구조와 사물을 통해 구현하는 극의 물리적 공간은 "극 중의 삶 혹은 극적 행동(dramatic action)을 공간적으로 재현하고 있다"(강태경 『연출적』 66). 따라서 물리적 공간에 대한 이해는 극 자체에 대한 이해에 직결되어 있다. 물리적 공간은 인물의 상상과 반응에 지대한 영향을 준다. 물리적 공간은 인물들의 상상과 반응에 제약을 가하면서도 동시에 상상과 반응을 끊임없이 유발하는 리얼리티이기 때문이다. 극적 시공간은 극적 세계를 구성하는 요소이기 때문에 그에 대한 분석과 상상은 앞서 분석한 극적 세계와 구조에 대한 상상과 연결되어 있다.

데클란 도넬란은 배우 연기에 문제가 생기는 원인으로 두 가지를 지적하였다: "내적 차단과 외적 차단 상태"(23). 그중 외부세계와의 단절에서 오는 고립감은 배우가 희곡을 읽는 단계에서부터 생성될 수 있다. 희곡 속에 나오는 인물들의 모든 말들은 인물 외부와의 연결과 관계 속에서 비롯되는 것인데, 외적 공간에 대한 감각적인 상상이 선행되지 않고 희곡을 읽게 되면 인물과 공간과의 역동적 관계를 전혀 이해하지 못하고 말이나 행동을 하게 되기 때문이다.

<갈매기> 2막에서 뜨레쁠레프는 니나의 변심을 외부환경인 거대한 호수와 관련지어 생각한다. 즉, 호숫물처럼 거대하던 니나의 사랑, 호수에 비치는 햇살처럼 빛나던 니나의 눈빛이 어디로 갔는지 도저히 이해할 수 없어서 뜨레쁠레프는 마치 호수가 다 말라버렸거나 땅속으로 꺼져버린 것처럼 상상하며 니나의 차가워진 변심을 말한다.

자신의 슬프고 답답한 심정에만 매몰되어 있는 배우들은 공간과의 연결고리가 끊긴 채로 자신의 감정에만 집중하고 있지만, 인물은 그렇지 않다. 인물은 외적 공간과 매우 주관적인 관계를 맺고 그로부터 내적인 생각, 기억, 상상이 떠오르게 되며 느낌과 감정 그리고 충동과 갈등을 느끼게 되는 것이다.

따라서 극적 시공간에 대한 배우의 적극적인 상상은 인물로서 살아 존재하기 위한 전제조건이 된다. 스타니슬라프스키는 "무대에 서 있는 매 순간마다, 극의 행동이 전개되는 매 순간, 배우는 자신을 에워싸고 있는 외적 상황(제작상의 모든 물리적 세팅)을 알고 있어야 한다. 또는 배역을 보여주기 위하여, 배우 스스로 상상해 놓은 상황들을 내적으로 연결하고 있는 사슬을 잊어서는 안 된다"(『배우수업』 86)고 하면서 배우의 연기는 매 순간 극적 시공간에 대한 상상, 그리고 그것과의 끊어지지 않는 연결을 통해서 이루어져야 한다고 하였다. 그리고 배우는 극적 시공간을 인물의 주관적 관점에서 상상할 수 있어야 한다. 데클란 도넬란이 줄리엣과 발코니의 관계를 설명하면서 명쾌히 밝혔듯이, "배우는 인물이 누구인지 볼 수 없다. 배우는 오직 인물이 보는 것만을 볼 수 있을 뿐이다"(도넬란 180). 배우는 인물이 보는 공간을 보아야 한다. "공간에 의해서 인물의 몸에 제공되고 부과된 모든 구속들과 탈출들을 탐구해야 한다"(도넬란 181). 배우가 극적 공간 속에서 인물이 보는 것을 보고자 하는 것은 그

공간 속에 존재하기 위한 선행조건이다.

　연출적 상상과 비평적 시선이 객석에서 무대를 향하는 방향으로 이루어진다면, 배우의 상상은 무대에서 자신이 서 있는 곳을 중심으로 무대에서 객석을 향하는 방향으로 이루어진다. 언뜻 보면 별것 아닌 것 같지만, 이와 같은 방향 차이는 희곡을 무대화하는 과정에 있어서 배우들이 다른 예술가들과는 근본적으로 다른 상상의 원리와 방식을 견지하도록 요구하고 있다. 배우는 천동설을 믿는 자이어야 한다. 즉, 자신이 연기하는 인물을 중심으로 세상이 돌고 움직이는 것처럼 공간과 관계를 맺고 의미를 형성하는 식으로 생각하고 상상하여야 한다. 그리고 어떤 경우에도 외부 환경과의 연결 고리가 끊어지지 않도록 해야 하며, 제4의 벽을 설정한 연극이든, 브레히트적으로 그 벽을 허문 연극이든, 객석이 있는 방향이 주된 상상과 소통의 방향이 되어야 한다.

　작가의 공간적 상상은 필요에 따라 무대지시문에 담겨 있다. 작가가 구축한 상상의 공간은 연출과 디자이너에 의해 형상화되면서 무대지시문에 나타난 것과는 사뭇 달라질 수도 있다. 무대는 매우 사실적으로도 꾸며질 수 있으며, 그 반대로 매우 추상적이거나 상징적으로 형상화될 수도 있다. 아니면 예전 셰익스피어의 무대가 그러했던 것처럼 빈 무대가 될 수도 있고, 거리극에서처럼 특별한 무대 없이 삶의 공간 자체가 무대가 되기도 한다. 무대가 비사실적일수록 시공간에 대한 배우의 상상력은 더욱 요구된다. 사실적인 무대라고 해서 배우들의 연기가 저절로 나아지는 것은 아니다. 사실적인 만큼 시공간에 대한 상상을 소홀히 할 위험이 커진다. 공간과 주관적 관계를 맺고 주관적 상상을 하는 인물이 되기 위한 과정이 미흡해질 수 있다.

　연출이 어떻게 무대를 구성하든, "그 위에 살아 움직이는 인간의 존재 없이는, 다만 하나의 조형적 구조물이거나 기껏해야 순수한 메타포에 지나지 않는다. 이것을 실재의 세계로 소생시켜 의미화하는 것은 다름 아닌 무대 위의 배우의 현존이다"(강태경 『연출적』 41). 그러므로 배우에게는 인물의 심신이 한시라도 떠날 수 없는 극적 공간에 대한 적극적 상상의 과정이 필요하다. 인물들은 오로지 그 공간 안에서 공간의 영향을 받으며 상상하고 반응하기 때문이고, 인물들의 반응에 의해 공간과 그것을 구현한 무대가 비로소 생명을 얻기 때문이다. 허구인 연극이 배우의 상상에 의해 의미 있는 실체로 전환되는 것이다.

연출가 케이티 미첼은 물리적 공간에 대한 상상의 필요성을 다음과 같이 강조한다.

배우들은 자신들을 사방에서 에워싸고 있는 것을 상상할 필요가 있다. 만약 그들이 무대 가운데에 서서 360도를 돌아야 한다면, 그들은 등장인물들이 창밖의 풍경을 보듯이 그들 주변에서 무엇을 볼 수 있는지, 특정한 문 하나는 어디로 향하는지, 그들 위에 있는 다락방은 어떻게 생겼는지 말할 수 있어야 한다. 만약 배우들이 <갈매기> 1막에서 이렇게 한다면, 그들이 맡은 등장인물은 호수, 농장 건물, 집, 크로켓 경기용 잔디밭을 포함한 공원, 그리고 위의 하늘을 볼 것이다. 반면, 관객들은 디자인에서 명시된 이 풍경들의 부분만을 본다. 아마도 그들은 호수의 일부만, 집의 측면과 공원의 한 부분만 보게 될 것이다. 그들은 배우를 통해서만 다른 모든 것을 볼 수 있을 것이다. 만약 한 등장인물이 마치 사물들이 실제로 거기에 있는 것처럼 행동한다면, 관객들 또한 자신의 상상력으로 그런 장소들을 보게 될 것이다. (50-51)

물리적 공간에 대한 상상은 배우가 인물로서 극세계 속에 살아있고 존재하기 위해서도 반드시 필요한 것이지만, 보다 중요하게, 상상하고 반응하는 배우의 현존은 관객들로 하여금 무대라는 제한적 공간을 넘어서는 '확장적 상상의 과정'을 통해 능동적으로 극을 경험하게 하는 것을 가능하게 한다.

무대 위의 물리적 환경은 그 자체로 독자적으로 존재하는 것이 아니다. "무대 공간은 배우들의 연기와 직접적인 관계를 맺으면서 그에 의해 결정된다"(강태경 『연출적』 66). 인물의 관점에서 봤을 때, 극적 공간은 현실적인 공간이든 상상의 공간이든 상관없이 크게 두 가지로 나뉜다. 하나는 낯선 공간(기억이 없는 공간)이며 다른 하나는 아는 공간(기억이 있는 공간)이다. 낯선 공간은 다시 인물에게 두려움을 느끼게 하는 공간과 역으로 호기심을 자아내는 공간으로 나뉘며, 아는 공간은 의미 있는 기억이나 사연이 결부되어 있는 공간과 그렇지 않은 공간으로 나뉜다. 의미 있는 기억이 결부되지 않은 공간은 극적으로 잘 쓰이지도 않을뿐더러 큰 의미도 가지지 못한다. 왜냐하면 극 속에서 모든 공간은 그것이 낯선 공간이든 기억이 있는 공간이든 인물에게 큰 영향을 주는 환경인데, 그냥 아는 공간은 인물들에게 별 영향을 주지 않기에 잘 극화되지 않기 때문이다.

기억이 있는 공간인 경우, 인물들 각각은 무대 위 공간에 대해 각기 다른 기억(기억의 이미지들)을 가지고 있고 그로 인해 공간과 의식적으로든 무의식적으로든 다른 관계를 맺고 있다. 무대 공간이 모든 인물한테 같은 곳으로 보인다고 간주하는 것은 배우들이 흔히 범하는 오류이다. "배우에게 공간은 결코 중립적이지 않다. 만약 중립적이라면, 배우도 중립적이 되어 에너지를 잃게 될 것이다"(도넬란 186). 세상 모든 것들은 사연과 기억의 결부에 따라 그것을 바라보는 이에게 다르게 보인다. 세상과 인생을 집약한 연극에서 극적 공간에 존재하는 모든 대상체들은 인물들에게는 각기 다른 것으로 보인다.

체홉은 <갈매기>에서 각 막별로 비교적 간단해 보이지만, 매우 의미심장한 시공간의 설정을 보여주고 있다. 각 막의 시공간에 대한 설정이 어떤 연기적 의미를 가지고 어떻게 해석되고 상상되어야 하는지를 살펴보자.

3.1.1. 〈갈매기〉의 시공간적 상상: 1막

소린 영지 내, 정원의 일부. 객석에서 정원 안쪽, 호수 쪽을 향한 넓은 오솔길은 아마추어 연극을 위해 서둘러 만든 무대에 둘러싸여 있고, 그래서 호수는 전혀 보이지 않는다. 무대의 왼쪽, 오른쪽에는 관목 숲, 의자 몇 개와 작은 탁자 하나.
지금 막 해가 졌다. 커튼으로 덮여 있는 무대에 야꼬프와 다른 일꾼들. 기침 소리와 망치 소리가 들린다. 산책을 하고 돌아오는 마샤와 메드베젠꼬, 왼쪽에서 등장. (109)

체홉의 장막극들은 귀족의 저택과 영지를 배경으로 하고 있다. 대본상으로 확연하게 명시되어 있지는 않지만, 체홉의 작품 안에는 귀족의 몰락이라는 보이지 않는, 하지만 **꾸준한** 움직임이 있다. 그와 같은 몰락과 쇠락의 움직임을 귀족 출신 인물들은 모두 강박적으로 느끼고 있다. 그것을 알 수 있는 징후가 인물들의 '**불면증**'이다. 소린은 아르까지나가 잠을 못 잤다면서 마샤에게 아버지한테 이야기해서 개가 짖지 않게 개들을 풀어놓으라고 말을 하지만, 사실 잠을 못 잔 것은 아르까지나만이 아니다. 소린 자신도 잠을 잘 이루지 못한 것이다. 인물이 잠을 이루지 못하는 것은 그들의 생각과 마음이 무엇인가에 사로잡혀 있기 때문이고, 그로 인해 걱정·염려·불안을 느끼기 때문이다. 극에 틈틈이 암시되고 언급되지만, 정년퇴임한 소린과 배우의 입지가 좁아지고 있는 아르까지나는 돈 걱정에 늘 마음이 무겁다. 그래서 경제적·육체적으로 쇠락을 느끼는 소린은 늘 아르까지나를 따라 도시로 가고 싶어 하는 것이고, 아르까지나는 돈 문제가 언급될 때마다 그렇게 예민하게 반응하는 것이다.

<갈매기> 1막의 정원은 아르까지나에게는 세상의 변화를 가장 적게 느끼게 해주는 곳이다. 그래서 안정감을 준다. 도시의 경쟁적인 삶에서 내몰리는 그녀가 여름이면 이곳을 찾는 이유이다. 샤므라예프한테 늘 모욕을 받으면서도 그녀는 이곳을 다시 찾는다. 늘상 있는 샤므라예프의 모욕조차 늘 있는 것이기에 순간적인 감정적 반발에도 불구하고 궁극적으로 그녀에게 '**변함이 없는 곳**'이라는 안정감을 준다. 아르까지나가 뜨레쁠레프의 연극에 불쾌감을 느낀다면, 안정감을 주는 이 공간에 아들이 변화를 요구하기 때문이다. 그것도 자신이 몸담고 있는 연극과 연기의 형태로 급진적인 변화를 요구하는 아들이 세상의 변화로부터 주류에서 내몰리고 있는 그녀의 처지를 더욱 목 죄어 오기 때문이다. 우선 인공구조물인 무대부터가 자연인 호수를 가리고 있는 형상이다. 아르까지나 입장에서는 숨막히는 이미지이다. 반면 뜨레쁠레프에게 이 공간은 자신의 성장 공간이며, 그곳에 자신이 고안한 혁신적인 무대와 그 무대 위에 서 있는 니나의 모습을 상상함으로써 자신의 **사랑이 완성되는 공간**이다.

막 해가 진 뒤에 점차 짙어지는 어두움이라는 시간적 이미지는 앞으로 일어날 일들을 통해 인물들의 삶에 드리울 어두움을 암시하는 이미지이다. 뜨레쁠레프는 니나를 잃게 된다. 물론 주제를 나타내는 이 이미지는 관객의 무의식에 호소하는 이미지로 배우들이 직접적으로 연기할 수 있는 이미지는 아니다. 하지만 인물의 모든 행동에 적용되고 때론 행동을 제약

하는 이미지인 만큼 배우는 시공간적으로 어둠의 이미지를 공간적 배경에 그려 넣고 그것에 반응하여야 한다. 마샤가 자신의 검은 옷과 어두움을 자신의 인생에 대한 이미지로 인식하듯이, 배우는 시공간적 이미지를 통해서 인물을 생각하여야 한다.

어두움의 이미지에 바로 이어지는 이미지는 청각적 이미지이다. 호수와 자연을 배경으로 하고 있지만 <갈매기>에서 먼저 들려오는 소리는 이상하게도 자연의 소리가 아니다. 이 부분은 시사하는 바가 매우 크다. "기침 소리"와 "망치 소리"라는 두 가지 청각적 이미지는 일꾼들이 만들어내는 '자연스러운' 소리처럼 보이지만, 작가가 구체적으로 이 두 가지 청각적 이미지를 극의 시작에 명시하고 도입한 것 역시 앞선 어두움의 이미지만큼 의미심장한 것이다. 이 소리는 <벚꽃 동산>의 마지막에 벚꽃나무를 쓰러뜨리는 소리에 맞먹는 것이다. <벚꽃 동산>에는 극의 마지막에 등장했던 청각적 이미지가 <갈매기>에서는 극의 시작에 이미 도입되고 있는 것이다. "망치 소리"는 건설의 소리이면서 동시에 파괴의 소리이다. 세우는 것이 있으면 반드시 무너지는 것도 있다. "기침 소리"는 파괴와 건설속에서 인간이 신음하는 소리와 마찬가지이다.

산책을 갔다 돌아오는 마샤와 메드베젠꼬의 움직임 이미지는 <갈매기>의 갈매기가 상징하는 것처럼 마음 가는 대로 움직임이 생겨나는 원리에서 비롯된 것이다. 마샤가 이곳으로 오는 이유는 그녀의 마음이 뜨레쁠레프를 향하기 때문이고, 메드베젠꼬이 이리 오는 이유는 마샤가 이곳으로 향하기 때문이다. 따라서 두 사람의 등장은 나란히 이루어지는 것이 아니라, 마샤가 먼저 등장하고 메드베젠꼬가 뒤따르는 방식으로 이루어지기 마련이다. 마샤는 뜨레쁠레프가 공연 전에 무대가 있는 곳에 있을지 모른다고 생각했을 것이고, 뜨레쁠레프를 보기 위해, 뜨레쁠레프가 작업하는 모습을 보기 위해, '어두움 속에서 빛을 찾아' 이곳을 향해 온 것이다. 그렇다면 등장하는 마샤의 눈은 어두움 속에서 뜨레쁠레프를 찾기에 바쁠 것이다. 하지만 어디에도 뜨레쁠레프의 모습은 보이지 않는다. 그녀 마음에 떠오르는 뜨레쁠레프의 이미지를 그녀의 눈은 어디에서도 확인할 수가 없다. 있을 거라고 기대하고 왔는데 없는 것이다. 들어올 때는 설렘이 있었지만, 부재를 확인하고는 낙담할 수밖에 없다. 메드베젠꼬가 함께 있는 상황에서 그것을 마샤가 마음껏 드러내고 표현하지는 않겠지만, 그 차이는 분명히 느껴질 수밖에 없다.

3.1.2. 〈갈매기〉의 시공간적 상상: 2막

크로켓 코트. 오른쪽 안쪽에 커다란 테라스가 있는 집이 있고, 왼쪽에는 태양이 반사되어 빛나는 호수가 보인다. 화단. 정오. 무덥다. 코트 옆 오래된 보리수 그늘 가 벤치에 아르까지나, 도른, 마샤가 앉아 있다. 도른의 무릎 위에는 책이 펼쳐져 있다. (131)

〈갈매기〉 2막은 크로켓경기가 열리는 코트가 주 무대로 되어있다. 하지만 코트에서 경기가 벌어지고 있지는 않다. 코트에서 경기가 열리지도 않는데 체홉이 굳이 무대를 크로켓경기장으로 설정한 이유는 무엇일까? 2막 내내 눈에 보이지 않는 경기나 시합, 혹은 대결이 벌어지고 있는 것은 아닌지 생각해보지 않을 수 없다.

바로 그 시합은 아르까지나와 니나의 시합이며, 니나와 뜨리고린의 시합이다. 막이 시작되면 언뜻 보기에 아르까지나가 마샤와 '누가 더 젊어 보이는가'를 놓고 경쟁하고 있는 것처럼 보인다. 하지만 마샤는 아르까지나의 진짜 시합상대가 아니다. 마샤는 누가 봐도 얼굴에 그림자가 져 있다. 애초에 비교대상이 되지 않는다. 그냥 몸풀기 정도에 지나지 않다. 진짜 상대는 따로 있다. 바로 머지않아 등장하는 니나이다. 아르까지나는 뜨리고린이 니나에게 끌리고 있다는 사실을 본능적으로 알고 있다. 아르까지나가 니나에게 가장 신경 쓰이는 부분은 바로 니나의 젊음이다. 젊음은 아르까지나가 더 이상 가지고 있지 않은 부분이기 때문이다. 그래서 갑자기 자신의 외모가 신경 쓰이기 시작하고 젊어지고픈 욕구가 발동하는 것이다.

니나가 등장했을 때, 두 사람의 대결은 본격적으로 시작된다. 하지만 니나가 등장하는 순간부터 아르까지나는 이 대결이 결코 쉽지 않을 것이라는 것을 직감하게 된다. 왜냐하면 니나가 1막에서와는 다르게 눈부시게 예쁜 모습으로 등장하기 때문이다. 니나가 이런 차림으로 등장하는 것은 니나가 의도한 바이다. 뜨리고린에게 잘 보이기 위해서이기도 하고, 아르까지나를 의식한 것이기도 하다. 니나는 아르까지나에게 대적할 수 있는 자신의 무기가 무엇인지 정확히 알고 있다. 그것은 젊음이다. 그래서 아르까지나는 시합 전략을 바꿀 수밖에 없다. 아르까지나는 니나를 철저하게 '아들의 여자친구'로 대하기 시작한다. 뜨레쁠레프가 왜 저렇게 행동하는지를 니나에게 물으며 '넌 내 아들의 여자친구이니 내 남자는 넘보지 마'라는 식으로 니나를 대하고 있는 것이다.

전략을 바꾸자 시합에 다소 승산이 있어 보이던 바로 그 순간, 니나가 있는 앞에서 아르까지나는 봉변을 당한다. 바로 니나 앞에서 당한 봉변이기 때문에 아르까지나는 더욱 당혹스럽다. 다들 여왕처럼 떠받드는데, 샤므라예프만 그녀를 평범한 여자로 취급한다. 시합의 결과, 니나는 아르까지나를 거뜬하게 대적할 수 있는, 심지어 넘어설 수 있는 상대로 여기게 된다. 그로 인해 뜨리고린을 향한 니나의 구애는 본격화될 수 있는 것이다.

극 중 모든 인물들이 '말이라고는 하지 않는 과묵한 사람'이라고 알고 있는 뜨리고린은 니나 앞에서 놀라운 변화를 보여준다. 단둘이 처음 이야기하는 자리에서 엄청나게 많은 말들을 니나 앞에서 내뱉고 있는 것이다. 3막에서 아르까지나에게 친구가 되어 자신을 놓아달라고 열정적으로 말할 때를 빼고 뜨리고린이 이렇게 말을 많이 하는 경우는 없다. 뜨리고린으로 하여금 입을 열고 말을 하게 하는 것은 전적으로 니나인 것이다. 표면적으로는 니나에게 자신이 느끼는 작가로서의 고충을 토로하는 대화처럼 보이지만, 뜨리고린의 많은 말들 밑에는 니나를 유혹하려는 움직임들이 숨어 있다. 처음 등장했을 때, 다소 화내듯이 가려다 말고 다시 니나와 이야기를 나누는 것에서 알 수 있듯이, 밀고 당기는 전략을 구사하고 있는 것이다. 좋게 본다면, 니나와 뜨리고린의 첫 데이트 장면이 되겠지만, 2막 전체가 시합의 막이라는 관점에서 봤을 때, 니나와 뜨리고린은 어떤 시합을 하고 있는지 상상해 보아야 한다. 마지막에 뜨리고린이 퇴장하고 니나가 "꿈이야"라고 외치듯이, 그 시합의 결과는 니나가 꿈에 그리던, 자신이 간절히 원하던 결과로 끝이 난다.

3.1.3. 〈갈매기〉의 시공간적 상상: 3막

소린 저택의 식당. 오른쪽, 왼쪽에 문. 찬장, 약품 넣는 벽장, 방 중앙에 테이블, 여행 가방과 몇 개의 상자, 떠날 준비를 하고 있다. 뜨리고린은 아침식사를 하고 마샤는 테이블 옆에 서 있다. (147)

3막의 무대가 되는 식당은 뜨레쁠레프와 아르까지나가 가슴을 후벼 파는 싸움 끝에 서로의 마음을 여는 곳이며, 아르까지나가 뜨리고린을 일시적으로 되찾는 곳이며, 뜨리고린과 니나가 첫 키스를 나누는 곳이다. 작품 전체에서 가장 극적인 순간들이 펼쳐지는 곳이 바로 '**식당**'이라는 점은 다소 의외이면서 동시에 흥미를 유발하기도 한다. 해석하기에 따라서는 '식당'과 '먹는 행위'가 '침실'과 '사랑을 나누는 행위'를 은유적으로 대체한 것으로 볼 수도 있을 것이다. 그리고 짐을 싸는 '여행'의 이미지는 '**결별**'을 예고하는 이미지일 수도 있겠다. 식당이지만 약품 넣는 벽장이 있다는 것이 특이하다. 뜨레쁠레프의 다친 머리에 붕대를 감는 것 이상으로 상징적인 의미를 가진 무대장치이다. 약병 넣는 벽장은 3막에서는 어떤 식이든 '**치유**'가 이루어질 것을 예고하는 듯하다. 일상적이고 사실적인 설정 같지만, 사실은 치밀하게 극적 행동을 위해 꾸며진 무대이다.

3막의 시작을 알리는 소리는 여행 준비를 위해 짐을 싸고 옮기는 소리와 뜨리고린이 아침식사를 하는 소리이다. 작품 전체에서 인물이 식사를 하는 순간은 3막의 시작이 유일하다. 4막에서 대부분의 인물들이 식사를 하러 가지만, 그것은 어디까지나 무대 밖에서 이루어진다. 뜨레쁠레프와 니나는 한 번도 식사를 하지 않는다. 그런데 왜 3막에서 하필 뜨리고린 혼자만 식사를 하고 있는 것일까? 식사하는 행위는 어떻게 해석하고 상상하느냐에 따라 사뭇 다른 느낌을 준다. 허기를 느껴서 하는 식사와 입맛과 식욕이 돌아서 하는 식사, 그리고 먹고 힘내기 위한 식사는 전혀 다른 행위가 된다. 단순 행위가 아니라 극적 주제와 인물의 초목표에 부합하는 해석과 상상을 필요로 한다. 스텔라 애들러는 배우가 어떤 선택을 하는가가 곧 배우의 재능이라고 하였는데(『입센』 291), 같은 말, 같은 행동도 해석, 상상, 그에 따른 선택에 따라 관객에게 완전히 다른 의미와 느낌을 줄 수 있다.

뜨리고린이 식사를 하는 모습은 마샤가 '아침부터' 술을 마시는 모습과 대조가 된다. 뜨레쁠레프를 사랑하는 마샤는 2막과 3막 사이에 뜨레쁠레프가 자살을 시도한 것이 자신이 그에게 심적 부담을 가중시켜서인 것 같아 괴롭다. 아침부터 술은 마시는 것은 '불면'의 밤사이에 훨씬 더 커져버린 그 괴로움을 잊기 위한 것일 것이다. 그래서 마샤는 그에게 더 이상 부담을 주지 않기로 결심한다. 하지만, 아직 그 전에 한 가지 희망적 가능성이 남아있다. 뜨리고린이 니나를 데리고 떠난다면 이야기는 달라질 수도 있다. 그것이 마샤가 뜨리고린과 있는 진짜 이유일 수도 있다.

삶의 모든 희망과 의욕을 잃어버리고 뜨레쁠레프를 잊기 위해 메드베젠꼬와의 결혼을 결심하는 마샤와 대조를 이루는 뜨리고린의 모습은 무엇인가? 2막이 젊어지고 싶은 아르까지나의 모습으로 시작되었다면, 3막은 젊어지고픈 혹은 건강해지고픈 뜨리고린의 장면으로 시작된다고 볼 수 있다. 주변에서 떠날 준비를 하는 모습과는 대조적으로 뜨리고린은 그곳을 떠날 마음이 전혀 없어 보인다.

3.1.4. 〈갈매기〉의 시공간적 상상: 4막

꼰스딴찐 뜨레쁠레프의 서재가 된 소린 저택의 거실 중 한 방. 좌우 양쪽에 내실로 통하는 문. 정면에 테라스로 통하는 유리문. 평범한 거실 가구 외에 오른쪽 구석에 책상, 왼쪽 문 옆에 터키식 소파, 책장이 있고, 창가와 걸상에 책들이 놓여있다. 저녁. 갓을 씌운 램프가 켜져 있다. 어스름하다. 나무들이 흔들리는 소리와 굴뚝에서 바람이 울부짖는 소리가 들린다. 야경꾼의 딱딱이 소리. 메드베젠꼬, 마샤 등장. (163)

4막의 무대는 뜨레쁠레프의 서재이다. 서재는 뜨레쁠레프가 이제 작가가 되었음을 말해주고 있다. 4막의 무대가 작가의 서재인 이유는 무엇인가? 한편으로, 소린의 저택에 변화가 일어났다는 것은 소린의 약화를 의미하는 것이기도 하다. 소린은 이제 몸을 제대로 가눌 수 없는 상태이다. 하지만 4막의 주 무대가 서재라는 점은 니나가 떠나갔음에도 불구하고 뜨레쁠레프가 삶을 포기하기는커녕 작가가 되었다는 것을 시각적으로 강력하게 말해주고 있다. 작가가 된 뜨레쁠레프는 곧 배우가 된 니나와 재회하게 된다. **작가와 배우의 만남**, 그것이 바로 4막에서 일어나는 일인 것이다.

  갓을 씌운 램프가 유일한 빛이다. 아직까지 희망을 놓지 않고 있는 뜨레쁠레프의 상태를 나타내주면서 동시에 그만큼 그의 희망이, 혹은 생명의 빛이 약화되었음을 나타내는 이미지이기도 하다. 유진 오닐의 <밤으로의 긴 여로>의 4막은 <갈매기>의 4막에 대한 트리뷰트일지도 모른다.

  <갈매기> 4막은 1막보다 훨씬 많은 소리들로 시작한다. 나무 흔들리는 소리, 굴뚝에서 바람이 울부짖는 소리, 야경꾼의 딱딱이 소리 등. 딱딱이 소리는 시계소리와 비슷한 효과를 낸다. 모두 무대 밖을 의식하게 하고 밖으로 시선을 향하게 하는 소리이다. 바람이 울부짖는 소리는 뜨레쁠레프에게는 니나의 울부짖는 소리로 들릴 수 있다. 적어도 바람소리에 언뜻언뜻 니나의 울음소리가 들리는 것 같다. 4막 중간에 뜨레쁠레프는 "정말 어둡군! 왜 이렇게 불안한지 모르겠군"이라고 말하며 테라스 창문을 열고 무슨 소리를 들으려고 귀를 기울이고 있다가 "꼬스챠, 창문 닫아라. 바람 들어올라"(177)라는 아르까지나의 말에 창문을 닫는데, 분명 그에게 바람소리는 단지 바람소리만이 아닌 것이다. 뜨레쁠레프의 귀에는 니나의 소리가 들려오는 것이다. 이는 뜨레쁠레프가 니나를 발견하고 나서 "난 마치 예감이나 한 것처럼, 하루 종일 마음이 너무 괴로웠어요"(179)라고 말하는 것에서도 알 수 있다. 그리고 1막에서 그가 '**소리**'로 니나가 오는

것을 알아차렸던 것과 일맥상통한다.

바람소리가 가장 불길하게 들리는 것은 마샤이다. 4막의 첫 등장에서부터 알 수 있지만, 마샤는 호수에 거대한 파도가 이는 것에서 너무나 불길한 느낌을 받는다. 무슨 일이 일어날 것 같은 두려움이다. 그리고 그런 그녀의 육감은 맞아떨어진다. 4막에서 그녀가 여전히 사랑하는 뜨레쁠레프와 니나가 재회를 하는 것이다. 마샤가 그런 예감을 하게 되는 것은 바람소리와 날씨 때문이기도 하겠지만, 그에 앞서 뜨레쁠레프를 지켜보면서 그에게서 이상한 조짐을 발견했기 때문일 것이다. 적어도 뜨레쁠레프에 대해서만큼은 다른 이들이 보지 못하는 것을 마샤는 볼 수 있는 것이다. 왜냐하면 마샤는 너무나 오랜 세월 동안 뜨레쁠레프를 지켜봐 왔기 때문이다. 그렇기에 4막에서 뜨레쁠레프가 보이지 않자 불안하게 그를 소리쳐 찾고 있는 것이다.

4막은 마샤가 뜨레쁠레프를 찾는 소리로 시작한다. 4막의 시작이 마샤와 메드베젠꼬로 시작한다는 것은 여러모로 1막과 4막의 연관성을 말해주는 것이다.

마샤

(부른다) 꼰스딴찐 가브릴로비치! 꼰스딴찐 가브릴로비치! (주위를 둘러본다) 아무도 없네. 영감님이 쉴 새 없이 "꼬스챠는 어디 있어? 꼬스챠는 어디 있는 거야" 하고 물으세요. . . 그분 없이는 사실 수 없는 거예요. . . (163)

소린의 말인 것처럼 말하고 있지만, 사실 "그분 없이는 살 수 없는가 봐요"는 마샤 자신의 심경이 담긴 말이다. 그리고 이 말은 1막에서 "이건 제 인생의 상복이에요. 전 불행하니까요"와 일맥상통하는 말이기도 하다.

그렇게 체홉은 <갈매기>의 1막과 4막을 긴밀하게 연결해놓았다. 그 이유는 무엇인가?

 <갈매기> 4막의 무대에 관한 지시문은 지시문에서 끝나지 않고 바로 등장하는 마샤와 메드베젠꼬의 대사까지 이어진다. 중요한 것은 메드베젠꼬가 1막에서 쓰인 극중극 무대를 언급하는 것이다. 4막의 무대가 실내로 설정되어 직접적으로 눈에 보이지는 않지만, "정원에 있는 무대를 없애라고 말하는 게 좋겠어. 미라처럼 벗겨지고 흉한 데다 커튼까지 바람에 펄럭이며 소리를 내"(163)라고 메드베젠꼬는 증언하고 있다. 극중극 무대의 현재 상태는 니나나 뜨레쁠레프의 현 상태에 대한 암시일 수도 있다. 흥미로운 점은 그 무대가 몇 년이 지난 지금까지 철거되지 않고 그대로 있다는 것이다. 관객들은 1막 극중극이 끝나고 극중극 무대가 이후에 다시 등장하거나 언급될 것이라고는 생각도 못 한다. 그런데 왜일까? 아직 극중극이 끝난 것이 아니기 때문은 아닐까? 헐벗은 상태이지만 극중극 무대가 아직 존재한다는 것은 극중극으로 시작된 <갈매기>가 어떤 식으로든 극중극의 완성으로 끝날 수도 있다는 가능성을 점치게 한다. 이틀 밤낮으로 바람이 울부짖는 소리가 들리고 호수에 거대한 파도가 일고 있는 4막의 환경은 1막에서 뜨레쁠레프가 자신의 극중극이 공연되길 바라던 환경과는 너무나 대조적이다.

 또 한 가지 흥미로운 점은 "어제 저녁에 그 옆을 지나는데 마치 누가 거기서 우는 것 같더라구"(163)라는 메드베젠꼬의 증언이다. 그 울음소리는 니나의 것으로 추정된다. 바람소리와 니나의 울음소리는 하나로 섞여 있다. 왜 니나는 극중극 무대에서 울고 있었을까? 보다 중요하게, 왜 체홉은 <갈매기>의 4막의 도입부에서 극중극 무대와 니나를 다시 언급하고 있을까? 극적 구조에 대한 분석에서 이미 밝혔듯이, <갈매기> 4막의

공간 설정은 극의 결말이 미완성으로 끝난 극중극의 완결과 무관하지 않음을 말하고 있다.

3.2. 인물관계와 배우적 상상

모든 인간관계가 그러하듯이, 극 중 등장인물들은 각각의 상대 인물에 대해 각기 다른 관계를 맺고 있다. 한 인물에 대해 다른 등장인물이 같은 관계를 가지는 일은 절대 없다. 관계가 다르다는 것은 각 인물의 눈에 비치는 상대 인물들의 이미지가 다르다는 것을 의미한다. 따라서 배우는 자신이 연기하는 인물의 관점에서 다른 모든 인물들이 진정 어떤 이미지로 보이는가를 상상하여야 한다. 관계에 대한 상상에 따라 각각의 상대 인물에 대한 반응, 즉 인물의 몸가짐, 마음가짐과 씀씀이, 말투, 태도 등등 모든 것이 저절로 달라지기 때문이다. 특히 무엇보다 말의 내용과 행동의 성격이 달라지기 때문이다.

상대인물에 대한 상상이 중요한 것은 상대가 인물을 고정적으로 만들지 않고 변화시키기 때문이다. 과묵한 뜨리고린이 니나를 만나 수다스러워지는 것에서 알 수 있듯이, 상대인물은 항상 인물을 변화시키는 힘이다. 희곡을 읽으면서 배우들은 상대인물을 기본적으로 과거와 현재를 합쳐 자신의 인생에서 1) **가장 중요한 사람**, 2) 좋은 영향이든 나쁜 영향이든 **가장 큰 영향을 주는 사람**, 3) **가장 사랑하는 사람**으로 상상하여야 한다. 그렇지 않은 상대와 인물이 장면을 함께 하는 일은 없기 때문이다. 상대인물이 셋 모두에 해당되는 경우도 허다하다. 니나에게 뜨리고린, 뜨레쁠레프에게 니나는 가장 중요하면서 가장 큰 영향을 주고 가장 사랑하는 사람이다. 상대인물을 그렇게 상상하지 않는다면 대본을 제대로 분석해낼 수 없다. 이런 관계에 있는 상대는 그 일거수일투족, 사소한 눈빛이나 몸짓 하나조차도 인물에게 엄청난 영향을 준다. 잉어 두 마리를 잡았다고 좋아하는 뜨리고린의 사소하고 평범한 모습은 니나에게 너무나 사랑스러운 모습으로 다가오며 니나에게 생기를 불어넣는다.

　　인물들이 가족관계에 있을 때에는 같은 피가 흐른다는 점에서 인물들의 기질과 성격이 서로 닮았을 수도 있고, 그 때문에 오히려 심하게 충돌할 수도 있다. 부모와 자식 간의 관계는 서로서로 많이 닮았을수록 심하게 대립할 가능성이 더 크다. 아르까지나와 뜨레쁠레프가 충돌하는 것은 뜨레쁠레프가 아버지와 꼭 닮아서이기도 할 것이고 어머니인 아르까지나를 꼭 닮아서이기도 할 것이다. 가족관계에 있는 인물들은 무엇보다 선택의 여지 없이 대개 같은 공간에서 오랜 시간을 함께 보낸 사람들이다. 같은 시공간을 함께 하면서 쌓여 온 기억들을 공유하고 있고, 그 기억의 이미지들에는 애증의 감정이 함께 녹아있다. 같은 시공간에서 함께 생활하지 못한 경우에는, 뜨레쁠레프의 예에서 잘 알 수 있듯이, 그 부재의 시간만큼 서로를 향한 그리움이나 원망이 커져 있는 상태이기 마련이다. 가족은 시간이 녹아있는 관계인 만큼, 배우는 가족관계에 있는 상대인물들을 향해서는 가족과 관련된 자기 자신의 기억 속 이미지들을 적극 상상의 재료로 활용하여야 한다. 그렇지 않으면 시간이 담겨 있는 느낌을 인물에게 담을 수 없다. 시간은 곧 기억이기 때문이다. 항상 시간은 가장 연기하기 힘든 부분이다.

　　사랑하는 사이이거나 연인관계에 있는 인물의 경우엔, 두 인물 간의 사랑에 아무런 문제가 없는 경우는 거의 극화되지 않는다. 가령 "사랑해"라는 말이 극 중에 들어있는 경우, 인물이 그 말을 입 밖으로 내뱉는 순간부터 "더 이상 널 사랑하지 않아"라는 뜻으로 변질될 가능성이 50%는 생겨난다. 대본은 시간을 압축하고 있다. 그만큼 갈등과 혼란의 여지가 없는 것은 굳이 대본에 포함하려 하지 않는다. 극 속 연인들은 사랑이 흔들리거나, 사랑이 변하거나, 아니면 사랑을 위협하는 장애들에 직면하게 된다. 그들은 사랑을 되찾기 위하여 초인적인 노력을 기울인다.

사랑의 관계에 있는 인물을 대할 때 가장 중요한 점은 그들의 관계가 **가장 사적인 관계**라는 점이다. 그리고 정도의 차이는 있지만, 기본적으로 육체적인 관계이다. 3막에서 자신을 놓아달라는 뜨리고린을 되찾기 위해 아르까지나는 식당이지만 과감하게 매우 사적인 행동을 한다. 뜨리고린이 누가 오면 어쩌려고 그러냐고 하자, 아르까지나는 "오라고 해, 난 당신을 향한 내 사랑이 부끄럽지 않으니까"(159)라고 반박하며 사적인 행동을 사람들에게 드러내는 데 주저하지 않는다.

이런 사적인 관계에 있는 대상인물은 인물의 온몸에 사랑하는 사람과의 경험과 기억과 흔적이 지울 수 없이 새겨져 있고, 그만큼 인물의 영혼에 깊은 영향을 준다. 사랑의 당사자들 간의 시간과 경험은 가장 사적인 경험이고 두 사람은 둘만의 소통방식을 가지고 있고 외부인들이 두 사람 사이에 있어 온 일을 전혀 알 수 없다. 그와 같은 이유로 인해 연인관계를 연기하는 것은 많은 배우들에게 도전이 되고 있다. 현실 생활 속에서 사적인 관계는 아무하고나 맺지도 않고 나누지도 않는다. 그러나 무대 위에서는 자신과 가장 사적인 관계에 있지 않은 배우와 가장 사적인 관계를 연기해야 하기 때문에, 현실과 무대의 전환이 쉽지 않다. 인물들 사이에서는 첫 키스가 아니지만, 그것을 연기하는 배우들에 따라 첫 키스처럼 보이는 어설픔은 자주 목격되는 바이다. 하지만 사적인 관계를 연기하면서 사적인 느낌이 전혀 나지 않게 연기하는 것은 아마추어에 지나지 않는다.

배우는 자신의 가장 사적인 경험으로부터 오는 이미지들, 그리고 그 것에 반응하는 몸짓, 말투, 마음 씀 등을 역할에 적극적으로 가져오고 상 대역과 나누려고 시도해야 한다. 그리고 그만큼 배우들 간의 신뢰가 중요 하다고 하겠다. 상대 배우를 다른 어떤 대상도 아닌 **동료**로서 존중하는 것은 배우의 가장 기본적 자세이다.

상대 인물과 진정 어떤 관계인가를 위해서는 우선적으로 상대인물의 이름을 지워 놓고 상상할 필요가 있다. 대본이 제시하는 캐릭터의 이름이 나 설명은 배우로 하여금 구체적인 상상보다는 일반적인 편견이나 선입견 에 근거한 상투적 상상으로 향하게 한다. 이름이 붙여진 모든 것들은 바 로 그 이름이 일차적으로 예술적 상상을 방해한다. 이름으로 인해 더 이 상 이름 붙여진 존재에 대해 알려고 하지 않기 때문이다. 이름이 붙여진 순간부터 관찰과 상상은 중단된다. 이름은 그렇게 사람들에게 안정감을 주고 대상을 당연시하고 일반화시켜버린다.

오필리어를 연기하는 배우가 상대배우를 햄릿이라고 생각하는 것이 전혀 상상에 도움이 되지 않는다. 마찬가지로 막연히 사랑하는 남자라고 생각하는 것도 별 도움이 되지 않는다. 오필리어의 눈에는 어떻게 보이는 지—가령 신체의 어떤 부분이 가장 잘 생겼는지, 남성적 매력은 어디에 있는지, 다른 남자들과 비교해 다른 부분은 무엇인지 등—구체적으로 상 상해야 하고, 무엇보다 대본에 나와 있지 않은 둘만의 시간에 둘 사이에 무슨 일이 있었는지에 대한 기억의 이미지들을 가지고 있어야 한다. <햄 릿>에서 가장 큰 미스테리는 햄릿과 오필리어 사이에 무슨 일이 있었는 지 명확히 밝혀주지 않는다는 것이다. 오필리어가 햄릿이 자신을 찾아와 서 한 '이상한' 경험에 대해 아버지 폴로니우스에게 말을 하지만, 남자하 고 있었던 일을 아버지에게 얼마나 자세히 그리고 진실하게 말하고 있는지는 미지수이다. 아무리 오필리어가 아버지를 좋아한다고 해도, 둘만의 시간에 일어났던 일에 대해 아버지에게 '있는 그대로' 이야기하기는 힘들다. 더구나 너무나 당황스럽고 혼란스러운, 난생처음 하는 경험을 아버지 앞에서 논리적으로 차분하게 설명할 리는 더더욱 없다. 햄릿을 잃은 오필리어가 결국 미쳐서 자살하게 된다는 것에서 두 인물이 얼마나 깊은 관계였는지를 가늠해볼 수 있을 뿐이다. 가장 사적인 시간에 대한 상상이 없다면, 오필리어를 연기하는 배우에게 햄릿은 그냥 남일 뿐이다. 햄릿은 오필리어가 몸으로 기억하는 존재이다. 오필리어의 감각기관은 햄릿을 기억한다. 햄릿의 모습, 목소리, 숨소리, 냄새, 촉감 등 모두 생생하게 기억하고 있다. 오필리어에게 햄릿은 머리끝에서 발끝까지 온몸으로, 그리고 온 마음을 다해 사랑한 사람인 것이다.

희곡 중에서 가장 흥미로우면서 알 수 없는 관계가 바로 피터 셰퍼 작 <에쿠우스>의 앨런과 말들의 관계일 것이다. 좀체 명확하게 규명되지 않는 앨런과 말의 관계를 이해하는 것은 제3자의 관점에서 봤을 때는 '비정상적인 환자'로 규정되는 앨런 자신의 관점에서 보고 듣고 상상하고 반응하는 데 있어 핵심적인 부분이 된다. 우리나라에서 공연된 <에쿠우스>는 뛰어난 배우를 배출한 기념비적인 작품이 되어 왔다. 하지만 배우가 정말 앨런의 관점에서 상상하고 반응하고 있는지에 대해서는 다소 아쉬운 부분이 있다. 앨런의 눈에 말이 어떻게 보이는가는 앨런과 말의 첫 만남에서 결정된다. 피터 셰퍼는 둘의 첫 만남을 매우 흥미롭게 그리고 있다. 다음은 <에쿠우스> 10장의 앨런과 말이 처음 만나는 순간에 대한 앨런의 기억이자 진술이다.

앨런, 후면 통로를 통해 사각 플랫폼을 벗어나 원형 플랫폼을 걸어서 돌기 시작한다. 따스한 조명이 원형 플랫폼을 밝힌다.

다이사트

뭐라고?

앨런

말을 처음 본 거 말이야, 이 사기꾼아.
>(한가롭게 걸으며 모래를 걷어차기도 하고, 바다에 돌을 던지기도 한다)

다이사트

그때 몇 살이었지?

앨런

그걸 어떻게 알아? . . . 여섯 살쯤.

다이사트

그래, 계속해 보렴. 바닷가에서 뭘 하고 있었니?

앨런

모래를 파고 있었지.
>(객석 가까운 쪽 원형 플랫폼 바닥에 퍼질러 앉아 손으로 모래를 퍼 나른다)

다이사트

모래성을 쌓고 있었어?

앨런

그렇지 뭐. 딴 게 뭐 있겠어?

다이사트

(엄중하게) 그래서?

앨런

갑자기 무슨 소리가 들리는 거야. 등 뒤에서 뭔가 다가오는 소리.

> (후면 객석 중앙의 터널로부터 젊은 기수가 '슬로모션'으로 달려 나온다. 눈에 보이지 않는 말을 승마용 채찍으로 내리치면서 원형 플랫폼 오른쪽을 달린다. 코러스의 허밍이 고조된다)

다이사트

그게 무슨 소리였지?

앨런

말발굽 소리. 철퍼덕철퍼덕하는 소리.

다이사트

철퍼덕철퍼덕?

앨런

썰물이 빠져 나간 해변을 달리고 있었어.

다이사트

누가?

앨런

그 사람. 대학생 같았어. 큰 말을 타고 있었어 ─ 채찍을 휘두르면서. 나를 못 봤나 봐. 내가 소리쳤지. 이봐요!

> (기수가 자연스러운 속도로 움직이기 시작한다. 사각 플랫폼 전면 모서리를 빠르게 돌아 앨런의 정면으로 치닫는다)

부딪치기 직전에 가까스로 멈췄어!

기수

(고삐를 잡아당기며) 휘이! . . . 멈춰! . . . 휘이! 미안! 널 못 봤어! . . . 무서웠니?

앨런

아니요!

기수

(내려다보며) 아주 멋진 성이구나!

앨런

애 이름이 뭐예요?

기수

트로전. 쓰다듬어 봐도 돼, 그러고 싶으면. 애도 싫어하지 않을 거야.

> (앨런, 수줍어하며 발끝으로 서서, 보이지 않는 말의 어깨를 가
> 볍게 두드려 본다)

(기분 좋게) 거기선 닿기 어렵겠는데. 여기 한 번 올라와 볼래?

> (앨런, 눈이 휘둥그레지며 고개를 끄덕인다)

좋아, 이쪽으로 돌아오렴. 말은 항상 왼쪽에서 올라타는 거란다. 내가 올
려 줄게. 오케이?

> (앨런, 반대쪽으로 돌아간다)

자, 이렇게 하는 거야. 넌 가만있어. 으랏차!

> (앨런이 기수의 허벅지에 발을 올려놓으면 기수가 그를 들어 올
> 려 어깨에 태운다. 코러스의 허밍이 환희에 차오른다 ― 뚝 멈
> 춘다)

괜찮니?

> (앨런, 고개를 끄덕인다)

좋았어. 그럼 이제 이 갈기털만 꼭 붙들고 있으면 돼.

> (채찍을 머리 위로 곧추세운다. 앨런, 채찍을 꽉 잡는다)

꽉 잡아. 무릎은 단단히 죄고 됐어? 다 된 거지? . . . 그럼 달려볼까. 트
로전, 가자!

> (기수, 원형 플랫폼을 천천히 걸어서 돈다. 앨런의 다리가 그의
> 목을 힘껏 죄고 있다)

다이사트

기분이 어땠니? 신기했어?

(앨런, 아무 말 없이 말을 타고 있다)

어떤 기분이었는지 생각이 안 나?

기수

더 빨리 달릴까?

앨런

네!

기수

좋아. 이렇게 말만 하면 돼. '자, 트로전, 날 태우고 달려가다오!' . . . 어서 말해 봐!

앨런

날 태우고 달려가다오!

(기수, 앨런을 태우고 원형 플랫폼 위를 달리기 시작한다)

다이사트

빨리 달렸어?

앨런

응!

다이사트

무섭지 않았니?

앨런

아니!

기수

달리자, 트로전! 우릴 태우고 달려가자! 계속! 더 빨리! . . .

(더 빨리 달린다. 앨런, 웃기 시작한다. 다시 사각 플랫폼 전면
모퉁이를 도는데, 갑자기 프랭크와 도라가 경악하며 자리에서

벌떡 일어난다)

도라

앨런!

프랭크

앨런!

도라

멈춰, 앨런!

(프랭크, 기수와 앨런을 쫓아간다. 도라, 뒤따른다)

프랭크

이봐, 당신! 이보라니까!

기수

휘이! . . . 휘이!

(말고삐를 잡아당겨 속도를 늦추고, 방향을 틀어 소년의 부모와
마주 선다. 이 일련의 행동이 순식간에 이루어진다) (67-72)

이후 프랭크와 기수 사이에 말다툼이 이루어진다. 프랭크는 기수가 앨런
을 말에 태운 것을 "어처구니없는 짓"(73)으로 규정하고, "아이들 생명을
위험에 처하게 했다고 경찰에 신고할 거야", "당신은 공공의 적이야"(75)
라며 기수를 적대시한다. 그리고 프랭크가 말의 눈이 "희번덕거리면서 꿈
틀대고" 있다고 하자 기수는 오히려 프랭크의 눈이 그렇다고 받아친다.
그러자 프랭크는 "당신과 이 짐승 둘 다 이 해변의 안전에 위협적인 존
재"(75)라고 선언한다. 단순히 말에 태웠다는 이유로 기수를 비난한다기
에는 말이 지나치게 심하다. 다른 이유가 있는 건 아닌지 생각해보게 된
다.

이 장면에서 앨런과 말의 관계를 상상하기 전에 살펴보아야 할 극적

전제는 다음과 같다.

1) 말은 보이지 않는다. 오로지 말을 타고 있는 **기수**의 모습만이 보일 뿐이다. 그래서 앨런이 말에 올랐을 때 관객 눈에는 앨런이 기수의 어깨 위에 올라탄 모습, 즉 기수와 앨런의 모습만이 보일 뿐이라는 점이다. 피터 셰퍼는 다른 장면에서 말을 사용하는 것처럼, 기수를 눈에 보이지 않게 하고 말만 보이게 할 수 있었지만, 어떤 이유에서인지, 앨런이 처음 말을 만나는 순간에 말이 관객의 눈에 직접 보이지 않게 하는 선택을 했다. 그 이유는 무엇인가?

2) 작가 피터 셰퍼는 말을 연기하는 여섯 명의 배우들 중에서 하필 '너게트'를 연기하는 배우에게 '젊은 기수' 역을 중복해서 연기할 것을 요구하고 있다. 한 배우가 연기함으로써 작가는 의미심장하게 앨런의 눈에 그리고 관객의 눈에 기수와 너게트를 중첩되어 보이도록 의도하고 있다. 둘이 하나임을 암시하고 있는 것은 아닐까?

3) 앨런이 생생하게 기억하고 있는 이 기억은 앨런의 여섯 살 때 기억이다. 그리고 이 기억은 앨런이 다른 사람에게 말할 수 없는 '**비밀스러운**' 기억이다.

4) 앨런의 기억은 말에 관한 기억인 것처럼 보이지만, 사실 **기수에 관한 기억**이다. 앨런의 말에 대한 첫 감각적 인식과 반응은 소리이다. 바로 "철퍼덕철퍼덕"하는 말발굽 소리이다. 하지만 바로 이어 앨런이 기억하고 진술하는 시각적 인식과 반응은 의외로 말에 관한 것이 아니다. 말을 탄 기수에 관한 것이다. 대학생인 것처럼 보이는 기수를 보았고, 그가 자기를 보지 못한 것 같아서 소리를 쳤다고 앨런은 말하고 있다. 말발굽 소리에 고개를 돌려 앨런이 보고 주목한 것은 말보다는 기수에

게 있는 것이다. 아니면 적어도 말과 하나 된 것처럼 보이는 기수에 앨런은 반응하고 있다. 이어지는 승마의 경험은 사실 앨런이 말을 탄 경험이 아니라 기수와 함께한 경험이다. 말의 몸과 앨런의 몸이 만나는 경험이기도 하지만, 앨런과 기수의 몸이 닿고 밀착하는 경험이다. 그 부분에 대해 앨런은 매우 수줍게 진술하고 있다. 기수가 말에 태워주는 동안 앨런은 내내 말이 거의 없는 것에서 알 수 있다.

5) 앨런의 기억은 금지된 것, 즉 **금기에 관한 기억**이다. 앨런의 잊을 수 없는, 혹은 잊히지 않는 기억에 따르면, 기수와의 첫 만남의 경험은 부모님을 매우 화나게 한 경험이 되고, 부모님에 의해 강제적으로 중단되는 경험이 된다. 즉 앨런에게는 **금기**가 되어버린다.

'말+기수'와의 첫 만남이 금기가 되어버린 이후, 앨런이 말을 볼 때마다 상상하게 되는 것은 말에 탄 기수의 모습이다. 즉 말을 볼 때마다 앨런은 기수의 '**부재**'를 보게 되고, 이로 인해 금기가 되어 자신의 내면 깊숙이 억눌려 있던 기억, 기수를 만나고 함께한 기억이 강하게 되살아나게 된다. 즉 말(시각적·청각적·후각적·촉각적 인식)은 기수에 대한 기억(정서적 기억)을 떠오르게·되살아나게 하는 촉매가 된다. 기수에 대한 기억은 다시 두 가지 상상으로 이어지게 된다. 하나는 첫 만남에 그러했듯 말과 기수가 하나가 된 상태이며, 이는 밤마다 앨런으로 하여금 몰래 알몸으로 말을 타게 한다. 나머지 한 가지 상상은 부모님의 얼굴과 목소리로 그들이 앨런에게 신신당부한 꾸짖음과 금지의 말들이다. 이 말들은 앨런에게 깊은 죄의식이 들게 한다.

　앨런의 상상을 이런 식으로 분석하는 것은 <에쿠우스>라는 작품 전체를 동성애에 대한 메타포이자, '자연적인 것'을 향한 사회와 사람들의 편협하고 이율배반적인 태도에 대한 비판과 풍자로 간주하게 한다. 다이사트가 말하는 사회적으로 용납되지 않는 '병'은 동성애가 되는 것이다. 작가가 앨런의 부모를 종교적인 어머니, 권위적이고 위선적인 아버지로 설정한 것도 그 슬하에서 동성애가 가장 억압받기 때문이다. 질과의 섹스에 실패하는 것도 앨런의 동성애를 반증하는 것이다. 물론 이런 분석이 작품에 대한 절대적인 해석이 될 수는 없겠지만, 배우로 하여금 작가가 구축한 극적 세계와 인물관계에 대한 적극적이고 구체적인 상상으로 향하게 한다. 순간에서 순간으로 이어지는 극적 흐름 속에서 배우가 매우 세밀하게 상상하면서 인물과 인물 사이에 진정으로 어떤 일들이 일어나고 있는지를 파악할 수 있어야 희곡을 제대로 분석하고 이해할 수 있다.

3.2.1. 행동과 반응

인물관계는 행동과 반응에 선행한다. 그리고 행동과 반응은 인물관계에 변화를 가져온다. 김미혜는 행동을 "극적 행위"(dramatic action)로 구분하고 "분명한 시작과 중간과 끝을 갖는 사건들의 완벽한 추이(sequence)"로 정의하면서 "인물, 사물, 사건들이 행위의 과정에서 변화한다는 의미까지 함축되어 있다"(111-12)고 하였다. 변화를 가져오는 것만이 극적 행동이라고 할 수 있다. 대본 분석과 관련된 저술과 연구들은 대부분 플롯을 우위에 두고 인물의 행동분석에 중점을 두고 있다. "연극은 인간의 행동을 모방한다"(김미혜 132)는 연극적 특성 때문이기도 하고, 스타니슬라프스키가 대본 분석에 있어 초목표와 관통선에 근거한 행동을 강조했기 때문이기도 하다. 그로 인해 '행동동사'들만이 실제로 연기 행위로 실행 가능하다는 믿음이 널리 퍼져 있다. 하지만 행동은 그 자체로 독자적으로 파악할 수 있는 것이 아니다. 행동은 "어떤 인물 혼자 행하는 것이 아니며, 인물들 상호 간의 관계에서 일어나는 행동"(김미혜 133)이다. 관계에서 비롯되는 인물들의 행동이 서로 충돌하면서 갈등이 생겨나는 것이다. **행동은 항상 양방향적이며, 행동과 반응의 연쇄작용 속에서 이루어진다.** 관계에 근거해서 상대에 대한 반응으로서 적절한 행동을 상상할 수 있어야 과장되고 인위적인 연기를 할 위험을 피할 수 있다. 샌포드 마이즈너(Sanford Meisner)를 필두로, 무수한 배우들과 연출가들이 연기에서 듣기가 얼마나 중요한가를 말해 왔다. 듣기라는 것은 기본적으로 상대인물과의 관계, 혹은 공간과의 관계를 전제로 하는 표현이다. 관계와 공간이 행동을 낳고 행동의 성격을 근본적으로 규정짓고 행동의 실행을 조정한다. 따라서 행동은 상대인물과 빠져나갈 수 없는 한 공간 안에 놓인 인물이 시시각각 상대를 오감으로 예의주시하는 데서 유발되는 것이다. 관계 속에 놓인 인물의 지각과 상상에 대한 선행적인 분석이 이루어지지 않은 행동은 불완전하거나 부적절한 행동으로 전락한다. **상대가 없으면 행동도 없다.** 그래서 행동은 사실상 상대에 대한 반응이나 다름없다.

연기에 있어서 행동은 기본적으로 상대방의 생각·마음·기분·태도·상상 등을 바꾸려고 시도하는 것이다. 연기에 있어 행동과 관련된 문제들은 다음과 같은 세 가지 전제에 대한 배우의 몰이해로부터 기인한다.

첫째, 상대를 변화시킨다는 것은 변화하기 전의 이미지와 변화 후의 이미지 둘 다를 가지고 있어야 가능하다는 것이다. 변화하기 전의 이미지를 A라고 하고 변화 후의 이미지를 B라고 했을 때, 행동은 A를 B로 바꾸려는 시도이자 노력인 것이다. A를 정확히 보지 못한다면 배우는 무엇을 바꾸어야 하는지를 모르게 된다. B에 대한 명확한 이미지를 가지고 있지 못하다면 어디로 어떻게 바꾸어야 하는지 방향을 모르거나 잃게 된다.

따라서 행동이라는 것은 A와 B 각각에 대한 상상, 즉 관계에 대한 상상과 관계의 변화에 대한 상상과 그에 대한 반응으로서만 가능할 뿐이다. <갈매기> 2막에서 뜨레쁠레프가 죽은 갈매기를 들고 니나 앞에 나타났을 때 그가 하는 모든 행동은 '나를 사랑하지 않는 니나' 혹은 '다른 남자를 사랑하는 니나'를 '다시 나를 사랑하는 니나'로 돌려놓기 위함이다. 행동이 제대로 되지 않는 것은 상상이 제대로 이루어지지 않는 상태에서 제대로 반응하지 못하면서 배우가 혼자서 무엇인가를 하려고 애를 쓰기 때문이다. 이것은 매우 안쓰러운 연기적 시도이다.

둘째, 한 사람의 생각이나 마음을 바꾼다는 것은 거의 불가능에 가까운 일이지만, 인물은 최선을 다해서 시도한다는 것이다. 불가능에 가까운 시도를 하지 않는 이상, 배우가 하는 어떤 행동도 인물이 하는 행동이 되기에는 충분하지 않다. 정말로 누군가의 마음을 돌려보려고 혹은 생각을 바꾸어보려고 시도한 적이 있는 사람이라면 다른 사람의 생각이나 마음을 바꾸는 것이 얼마나 어려운 일인지 잘 알 것이다. 해도 해도 바뀌지 않아서 분노하거나 좌절하거나 눈물 흘려 본 경험을 배우라면 누구나 해본 적이 있을 것이다. 행동을 연기한다는 것은 불가능함에 대한 도전이고, 따라서 행동 자체에 대한 분석과 상상 이상으로 행동을 불가능하게 하는 장애(obstacles)에 대한 분석과 상상이 중요하다. 니나의 사랑을 되찾고 싶었던 뜨레쁠레프가 니나의 차가운 눈빛을 마주했을 때 그는 정작 자신이 하고 싶었던 말과 행동을 제대로 하지 못하게 된다. 그래서 매 순간순간이 너무나 힘겹다. 행동을 한다는 것은 장애가 불러일으키는 불가능성에도 불구하고 인물의 절실함·간절함을 온몸과 마음을 다해 실행에 옮긴다는 것이다. 절실함이 부족하다면, 그것은 인물의 행동으로 충분하지 않다.

셋째, 인물의 행동은 성공하기보다는 실패하는 경우가 더 많다. 그런

면에서 연기가 행동에 관한 것이라는 생각은 완전한 설명이 되지 못한다. 극중극을 통해 니나와의 사랑을 완성하려던 뜨레쁠레프의 시도도, 다시 니나의 마음을 돌리려던 뜨레쁠레프의 행동도 모두 실패로 끝나고 만다. 오필리어를 수녀원으로 보내려는 햄릿의 행동은 몇 차례에 걸쳐 반복될수록 더욱 거세지지만 결국 실패한다. 인물의 행동이 실패로 돌아가는 장면에서 관객은 무엇을 보고 생각하고 느끼게 되는 것인지, 그것을 파악할 수 있어야 연기가 무엇에 관한 것인지를 진정 알 수 있다. 햄릿과 뜨레쁠레프의 실패한 시도를 통해서 관객은 햄릿이 오필리어를, 뜨레쁠레프가 니나를 얼마나 사랑하는지를 알게 되어야 한다. 장면이 끝났을 때 관객이 햄릿이 오필리어에게 못되고 매몰차게만 대했다고 생각한다면, 뜨레쁠레프가 니나를 잃어버리는 것이 당연하다고 생각한다면, 배우는 햄릿과 뜨레쁠레프를 제대로 연기한 것이 아니다. 배우는 자신이 연기하는 인물의 행동을 통해 관객의 마음을 빼앗아야 한다. 장애에 직면한 인물이 행동하는 것을 보면서, 그리고 그 행동이 그 절실한 노력에도 불구하고 실패로 돌아가는 것을 보면서, 관객은 인물의 영혼에 어떤 일이 일어나는지를 보아야 한다. 이것이 관객이 연극을 보면서 하는 핵심적이고 본질적인 경험이다. 오이디푸스왕의 모든 행동은 실패로 끝난다. 그래서 그는 아무것도 보지도 알지도 못했던 자신의 두 눈을 뽑아버린다. 관객은 오이디푸스왕의 행동을 보는 것이 아니라, 그가 행동을 할 때 그리고 그 행동이 실패했을 때 그의 영혼에 무슨 일이 일어나는지를 보는 것이다.

행동과 관련해서 한 가지 주의해야 하는 것은 대본을 읽고 결과를 다 알고 있는 것이 배우들의 연기를 방해한다는 점이다. 인물의 행동이 실패로 끝난다는 사실을 미리 알게 된 배우는 행동의 결과를 알기 때문에 무의식중에 행동을 제대로 실행하지 않는 오류에 빠지게 된다. 실패로 끝나는 것은 맞지만, 인물은 매 순간 결코 실패를 향해 움직이지 않는다. 행동은 상대인물에 대한 절실한 상상과 그것에 대한 순간에서 순간으로 이어지는 반응으로서만 제대로 가능하다.

장면이 시작될 때의 인물A, 상대인물B, 관객을 각각 A^1, B^1, C^1이라고 하자. 배우가 극적 행동(dramatic action)을 제대로 연기하게 되면, 그 결과 장면이 끝날 때 인물, 상대, 관객은 각각 A^2, B^2, C^2로 변화하게 된다. 그와 같은 변화가 인물에게 일어나지 않는다면, 장면에서 아무 일도 일어나지 않은 셈이 되고, 관객도 장면의 시작과 끝에 극에 대해서나, 인물에 대해서나 아무런 생각이나 마음의 변화가 없이 극을 보게 되고 따라서 극은 멈춰버린 게 된다. 극이 계속 진행이 된다는 것은 각 장면의 시작과 끝에 이와 같은 변화가 인물들 간에, 그리고 배우와 관객 사이에 계속해서 일어난다는 것을 의미한다.

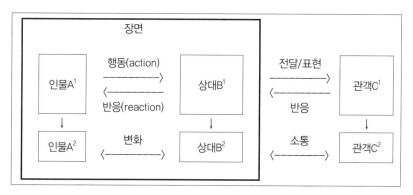

표 3. 극적 행동의 구조와 소통의 원리

극적 행동은 상대의 생각을 바꾸고 마음을 돌리려는 절실한 노력에서 나오는 인물의 모든 말과 행동을 가리키는 말이다. 상대는 절대 인물의 생각과 마음처럼 쉽게 바뀌지 않기 때문에, 정말로 상대의 생각을 바꾸고 마음을 돌리려고 하면 인물은 자신이 할 것이라고는 생각하지도 못한 말과 행동을 하게 되면서 자신에게도 변화가 일어난다. 인물A의 의도 그대로 상대인물B가 항상 변화하는 것은 아니지만, 어떤 식으로든 인물A의 행동이 그 진정성과 절실함을 통해서 상대인물B에게 영향을 줄 때 상대에게는 어떤 식이든 변화가 일어나게 마련이다. 그래서 장면이 끝났을 때 어떤 식으로든 상대도 인물도 장면의 시작과는 다른 상태에 도달하게 되는 것이다. 그리고 그를 통해 관객도 인물에 대해서든, 극에 대해서든 무엇인가를 더 알게 된 상태로 장면이 끝나게 되는 것이다. 그 절실함이 관객에게 전달되어 관객도 C^1에서 C^2로 바뀔 때 '소통의 예술'이라는 연극이 진정으로 성립하게 된다.

<갈매기> 2막에서 뜨레쁠레프를 연기하는 배우가 정말 잘 연기를 하였다면, 니나의 마음을 돌려놓지는 못할지라도 니나의 마음을 흔들어 놓기는 할 것이다. 관객은 뜨레쁠레프가 얼마나 니나를 사랑하는지를 알게 될 것이고 마음으로 뜨레쁠레프의 편이 될 것이다. 반대로 니나를 연기하는 배우가 연기를 정말 잘한다면, 관객은 뜨리고린을 향한 니나의 사랑을 지지하게 될 것이다. 두 주연배우의 연기가 이상적으로 잘 이루어진다면, 장면이 끝났을 때 관객은 두 주연배우에게 반반씩 마음을 뺏기게 될 것이다. 두 주연배우가 이와 같은 역할을 해주지 못한다면 관객은 극에서 마음이 멀어진 채로 극을 보게 될 것이다. 소위 주연배우가 가져야 하는 '**극을 끌고 가는 힘**'이라는 것은 연기가 지속될수록 관객의 마음이 주연배우를 향하게 되고 주연배우의 등장을 계속해서 기다리게 하는 힘을 말한다. 상대인물과 관객의 마음을 움직이고 사로잡는 힘, 그것이 주연배우가 가져야 하는 매력이며, 그 힘이 극적 행동을 낳는 것이다.

3.2.2. 〈갈매기〉의 인물관계

<갈매기>에서 인물들의 관계는 '**인간적 생명력의 원천으로서의 사랑**'이라는 주제가 극 구조에까지 반영된 작품답게 복잡하게 얽혀 있다. 이 관계를 읽어내지 않고 배우는 온전히 인물로서 살아갈 수 없다.

표 4. 〈갈매기〉의 주요 등장인물의 몸과 마음이 향하는 방향

<갈매기> 1막에서 인물들의 몸과 마음은 한 방향으로 향하고 있다. 마음 가는 데로 몸이 간다. 그 방향의 끝엔 뜨리고린이 있다. 한·두 인물에 그치지 않고 작품 전체의 인물들이 이와 같은 관계로 연결되어 있다는 것은 이 관계의 구조를 극의 **패턴**이 되게 한다. 이 패턴을 통해 작가는 <갈매기>만의 매우 특별한 사랑을 이야기하고 있는 것이고, 이 패턴으로 인해 <갈매기>는 통속적인 짝사랑 이야기를 넘어서는 작품이 되는 것이다. 니나의 마음은 극의 시작 전까지는 뜨레쁠레프를 향하고 있었지만, 극이 시작하면서 뜨리고린을 향하게 되고, 여기서 <갈매기>의 모든 극적 사건과 갈등이 생겨난다.

뜨리고린에게 니나는 사랑보다는 욕망의 대상이다. 아르까지나를 향하던 뜨리고린의 마음은 니나의 연기를 보는 순간 니나를 향해 움직이기 시작하고, 2막에서 둘만의 대화를 거치며 점차 욕망으로 바뀌어 가다가, 급기야 3막에서는 니나를 향해 뜨겁게 타오르게 된다. 그리고 4막에 이르러서는 빨리 타올랐던 만큼 너무나 빨리 그리고 허망하게 식어버린다. 니

나가 3막에 등장해서 뜨리고린에게 메달을 주면서 뜨리고린의 책 <낮과 밤>의 한 구절이 적힌 쪽과 행을 새겨 넣는다. 뜨리고린은 급하게 자신의 책을 찾아 구절을 확인한다. "언제든 제 생명이 필요하면 와서 가져가세요"(157), 마치 마법에 걸린 사람처럼 이 구절을 되풀이하는 뜨리고린은 니나가 무슨 뜻으로 이 구절을 메달에 새겨 넣었을까를 상상하느라 분주하고 상상은 그의 마음과 몸을 뜨겁게 타오르게 한다. 뜨리고린의 니나를 향한 욕정이 불같이 타오르는 바로 그 순간, 아르까지나가 모든 것을 내던지며 일시적으로 뜨리고린의 마음을 다시금 자신에게로 향하게 하는 데 성공하지만, 니나가 다시 찾아와 두 사람의 긴 키스로 이어지며 뜨리고린의 마음은 다시 니나로 돌아서고, 니나의 마음 역시 영원히 뜨리고린을 향하게 된다.

애초에 진정한 사랑의 마음이 아니었기에 <갈매기> 4막에서 뜨리고린의 마음은 다시금 아르까지나로 향해 돌아서지만, 니나의 마음은 뜨레쁠레프를 향해 돌아서지 않는다. 그리고 니나의 마음이 끝내 뜨리고린을 향하고 있다는 것을 확인한 뜨레쁠레프는 자살을 하고 만다.

마샤의 경우엔 뜨레쁠레프가 끝내 가질 수 없는 사랑으로 끝나지만, 사랑하는 관계로 발전할 수 없다는 것을 알고 메드베젠꼬의 구애를 받아들여 엄마 뽈리나처럼 마음에도 없는 남자와 결혼생활을 하게 된다. 하지만 여전히 마샤의 마음은 뜨레블레프를 향하고 있다.

메드베젠꼬는 샤므라예프처럼 현실적인 사람이다. 마샤가 그의 구애를 쉽게 받아들이지 못하는 것도 아버지 샤므라예프와 어머니 뽈리나의 결혼생활을 봐왔기 때문이다. 마샤와 뽈리나는 모전여전처럼 닮아있다.

마샤와 샤므라예프와의 관계에는 묘한 수수께끼가 있다. 두 사람은 전혀 부녀지간처럼 보이지 않는다. 1막에서 마샤는 뽈리나가 좋아하는 도른을 마치 친아버지처럼 대한다. 그러더니 3막에서는 뜨리고린에게 "이 세상에 사는 이유를 모르는, 출생 미상의 마리야"라고 자신을 언급하면서, 샤므라예프가 친아버지가 아닐 가능성이 생겨난다. 대본은 이 사항에 대해 결코 명확한 사실을 제공하지 않지만, 샤므라예프가 만에 하나 친아버지가 아니라면, 마샤는 샤므라예프와 닮은 메드베젠꼬와는 절대 결혼하고 싶지 않을 것이다.

인물 \ 상대	마샤	뜨레쁠레프	니나	뜨리고린	아르까지나
마샤		연모의 대상	연적	연적을 연모의 대상으로부터 떼어놓을 수 있는 유일한 자	여왕 혹은 시어머니 같은 존재
뜨레쁠레프	부담스러운 존재		사랑의 대상	연적 자신의 사랑을 뺏어간 나쁜 놈	애증의 대상 바람 피우는 남자를 좋아하는 바보
니나	자신을 퉁명스럽게 대하는 존재	부담스러운 존재		사랑의 대상	연적
뜨리고린	소설의 소재	부담스럽고 신경 쓰이는 존재	욕망의 대상		사랑의 대상 --〉 자신을 구속하는 존재
아르까지나	하녀	전 남편의 흔적	연적 아들이 사랑하는 여자	사랑의 대상	

표 5. 〈갈매기〉의 인물관계도

메드베젠꼬가 마샤와의 결혼에 성공하는 것은 그의 지극정성 덕분이다. 매일같이 마샤를 보기 위해 메드베젠꼬는 먼 길을 걸어왔다가 걸어서 돌아간다. 그 자체가 감동적임은 마샤도 어느 정도 인정하는 부분이다. 물론 마샤가 자신과 뜨레쁠레프가 이어질 수 없는 사이임을 인정하고 뜨레쁠레프를 잊기 위해 결혼을 선택함으로써 가능했던 것이기도 하지만, 메드베젠꼬의 지극정성이 없었다면 마샤는 결코 그와의 결혼을 고려하지 않았을 것이다.

마샤의 입장에서 니나가 뜨리고린을 좋아한다면 뜨리고린이 니나를 뜨레쁠레프로부터 떼어놓을 수 있는 사람이다. 3막의 시작이 마샤와 뜨리고린의 장면으로 시작하는 것은, 즉 두 사람이 함께 있는 것은 그런 이유에서일 가능성이 크다. 뜨레쁠레프의 입장에서 니나에게서 뜨리고린을 떼어놓을 수 있는 사람은 아르까지나뿐이다. 아르까지나 입장에서는 니나의 마음을 돌려세울 수 있는 사람은 뜨레쁠레프뿐이다. 아들이 니나를 돌려놓을 수 없다면, 아르까지나에게 남겨진 선택은 한시라도 빨리 뜨리고린을 데리고 떠나는 것이다. 명분은 있다. 샤므라예프에게 모욕당했기 때문에 그곳에 있을 수 없다고 하면 된다.

3막에서 뜨레쁠레프가 아르까지나에게 와서 붕대를 갈아달라며 대화를 신청했을 때, 두 사람은 자신의 연인을 되찾을 수 있는 열쇠가 상대에게 있다는 것을 알고 있고 상대가 그런 역할을 해주기를 간절히 바라고 있다. 하지만 직접적으로는 절대 말하지 못한다. 결국 자존심 때문에 인정하기는 싫지만, 애인의 변심으로 상처받고 괴로워하고 있는 서로의 모습을 확인하고 동병상련으로 끝이 난다.

이상하리만치, <갈매기>에서는 니나와 뜨리고린의 사랑이 명백한데도, 관련된 인물들은 그런 사실을 절대 입 밖에 내지 않는다. 인정하고 싶지 않아서 그럴 것이다. 서로 입 밖에 내지 않으니 상대에게 바라는 것이 있어도 직접적으로 말하지 못한다.

3.2.3. 부재하는 존재에 대한 상상

인물들의 관계는 무대 위에 현존하는 인물들 간의 관계에 국한되는 것이 아니다. 때로는 무대 위에 직접적으로 등장하지 않는, 부재하는 존재가 무대 위의 인물들에게 오히려 더 큰 영향을 미치기도 한다. 케이티 미첼은 "등장인물들 모두 혹은 일부의 마음속에 단단히 존재하는" 존재를 **"간접적 등장인물"**로 명명하면서, 간접적 등장인물의 존재가 "극의 행위에서 등장인물들이 말하고 행동하는 것에 영향을 미친다"(66)고 하였다. 햄릿의 아버지, 혹은 아버지의 유령이 햄릿의 말과 행동에 강력한 영향력을 행사하는 것에서 쉽게 확인할 수 있는 바이다.

간접적 등장인물 혹은 보이지 않는 존재, 부재하는 존재가 무대상의 인물들의 언행을 지배하다시피 하는 현상은 <갈매기>에서 특히 두드러진다. 뜨레쁠레프의 아버지, 그리고 니나의 아버지와 어머니는 무대에 한 번도 등장하지 않지만, 뜨레쁠레프와 니나의 언행에 강력한 영향을 주는 존재들이다. 하지만 <갈매기>에서 보다 중요하고 흥미로운 부분은 무대상에서는 부재하는 뜨리고린이 무대상의 인물들에게 끼치는 영향이다. 3막에서 아르까지나와 뜨레쁠레프의 언행에 강력한 영향을 주고 있는 것도 그곳에 부재하는 뜨리고린과 니나이지만, 무엇보다 대표적인 장면들이 니나와 뜨레쁠레프의 장면들이다. <갈매기>에서 니나와 뜨레쁠레프의 장면은 결코 둘만의 장면이 아니다. 두 인물 간의 장면은 항상 무대 위에는 존재하지 않는 제3의 인물(뜨리고린)에 대한 상상에 영향을 받는다. 왜냐하면 두 인물의 마음이 그곳에 있지 않은 뜨리고린을 향하고 있기 때문이다. 니나는 뜨리고린을 향한 사랑에, 그로 인해 뜨레쁠레프는 뜨리고린을 향한 질투와 분노에 온몸과 마음이 휩싸여 있다.

1막에서 공연에 늦을 것 같아 울면서 달려온 니나의 마음이 향하는

사진 3. 블루바이씨클프러덕션 제작. 〈스탑 키스〉(2015). 김준삼 연출. 아름다운극장. 배우 주예린.

것도 아직 보지도 만난 적도 없는 뜨리고린이다. 뜨리고린 앞에서 공연을 한다는 사실에 니나는 잔뜩 고무되어 있으며, 그래서 뜨레쁠레프의 희곡에 살아있는 인물과 행동 그리고 사랑이 없다고 불평을 늘어놓는다. 뜨레쁠레프는 뜨리고린의 소설을 읽어보지 않았다고 거짓말을 하며 니나가 자신과 뜨리고린을 비교하고 있는 것에 마음이 상한다.

　연극이 실패로 돌아가고 자신을 만나주지 않던 니나와 2막에서 다시 마주친 뜨레쁠레프는 니나에게 "당신 혼자예요?"(139)라고 첫마디를 건넨다. 이 말은 주변에 아무도 없는 상황에서 뜨레쁠레프가 니나가 혼자 있는 것을 몰라서 건네는 말이 아니다. 어색함을 타개하기 위해 건네는 인사말로 볼 수도 있지만, 중요한 것은 뜨레쁠레프의 눈에 혼자 있는 니나가 혼자 있는 것처럼 보이지 않아서 하는 말이다. 니나는 뜨레쁠레프가 등장하기 직전 아르까지나와 뜨리고린에 대한 생각을 하면서 독백을 하고 있었다. 니나는 자신이 감히 넘볼 수 없다고 생각했던 유명인들이 자신과 다름없는 인간이라는 사실에 신이 나 있다. 왜냐하면 뜨리고린이 자신과 같은 평범한 사람이라면 얼마든지 연애의 대상이 될 수 있다고 생각하기 때문이다. 그런 생각에 빠져있는 니나를 뜨레쁠레프가 본 것이고 마치 "무슨 생각해?" 혹은 "누구 생각에 그렇게 좋아 죽어?"라는 식으로 "당신 혼자예요?"라고 일침을 놓듯이 말을 건네는 것이다.

니나는 집 안에 들어갔다 나올 때 어떤 식이든 뜨리고린에게 자신이 밖으로 나간다는 신호를 보내고 집 밖으로 나왔다. 니나는 과연 뜨리고린이 자신의 신호를 포착하고 기회를 봐서 집 밖으로 나올지 기다리고 있는 상황이다. 그런데 뜻밖의 일이 벌어진 것이다. 갑자기 헤어진 예전 남자친구가 나타난 것이다. 니나는 뜨레쁠레프가 언제부터 자신을 지켜보고 있었는지 알 수가 없어 불안하다. 니나는 언제든 밖으로 나올지도 모르는 뜨리고린을 기다리면서 어떻게든 뜨레쁠레프를 빨리 보내려고 한다. 그래서 뜨레쁠레프가 자신에게 묻는 말들에 최대한 간략하게 말한다. "혼자예요", "이게 무슨 뜻이죠?", "왜 그러시는 거예요?", "난 당신을 못 알아보겠어요"(139)로 이어지는 니나의 대사들을 보면, 짧게 짧게 뜨레쁠레프의 말과 행동에 반응하면서 뜨리고린이 나오지는 않는지 몰래 살피고 있는 니나를 읽어낼 수 있다.

실제로 뜨리고린이 집 밖으로 나오고, 아직 두 사람에게 다가오지도 않았지만, 니나의 눈은 호수에 반짝이는 햇살처럼 빛나는 눈으로 바뀐다. 뜨레쁠레프에게 니나의 그 눈빛은 예전에 니나가 자신을 볼 때의 눈빛이었지만 지금은 다른 남자를 볼 때의 눈빛이 된다. 이렇게 뜨리고린은 무대에 직접 등장하지 않으면서도 니나와 뜨레쁠레프의 말과 행동에 보이지 않는 영향력을 행사한다.

이와 같은 극적 상황은 4막에 니나와 뜨레쁠레프가 재회했을 때 훨씬 더 심해진다. 4막에서 니나가 계속 떠나려다 머무르고, "너무나 피곤해요! 쉬었으면 좋겠어요. . . 쉬었으면!"(182)이라고 반복적으로 말하는 것은 무대 위에서는 보이지 않는 뜨리고린을 향하는 그녀의 몸과 마음을 거스르려는 안간힘을 쓰고 있기 때문이다. 니나는 보이지 않는 두 가지 싸움을 처절하게 하고 있다. 첫 번째 싸움은 뜨리고린이 있는 곳으로 달려가고자 하는 자신의 몸을 가지 못하게 붙잡고 있는 **수평적 싸움**이고, 두 번째 싸움은 주저앉고 꼬꾸라지려는 자신의 몸을 일으켜 세우려는 **수직적 싸움**이다. 이 싸움들은 니나가 무대에 존재하는 내내 자신의 모든 정신력과 체력을 동원해 벌이고 있는 싸움이다. 니나가 등장하자마자 문을 잠가 달라고 하는 것도, 표면적으로 보이듯이, 누가 들어올지도 몰라서 그런 것이 아니라, 자신이 뜨리고린이 있는 곳으로 달려가지 못하게 하기 위함이다. 니나는 견딜 수 없이 힘든 순간마다 자신을 갈매기로 부르며 금방 쓰러질 듯하다가도, 마치 주문을 외듯이 자신을 배우라고 부르며 힘겹게 몸을 일으켜 세운다. 이와 같은 눈물 나는 싸움이 있어서 니나는 지칠 수밖에 없고 쉬었으면 좋겠다고 하는 것이다. 하지만 분명한 것은 니나는 절대 이 싸움에서 지지 않을 것이라는 점이다. 니나는 절대 싸움을 포기하지 않는다.

〈밤으로의 긴 여로〉 4막에서 술을 마시고 있는 세 부자(타이런, 제이미, 에드먼드)의 온몸과 마음을 사로잡고 있는 것도 2층에서 들려오는 메어리의 발소리이다. 세 부자의 모든 감각은 술을 마셨음에도 불구하고 부재하는 아내/어머니를 감지하기 위해 곤두서 있다. 무대에는 등장도 하지 않지만 공간적으로 위쪽에서 들려오는 소리는 세 부자가 그 소리의 영향에서 절대 벗어날 수 없다는 느낌을 준다.

〈햄릿〉에서 제일 마지막에 등장하는 포틴브라스는 마지막에 갑자기 뜬금없이 등장하는 것처럼 보이지만, 사실 작품이 진행되는 내내 엘시노어성에 보이지 않는 영향을 행사하고 있다. 그 영향을 어떻게 형상화해서 관객에게 보게 할 것인지는 전적으로 연출가의 몫이다. 하지만 배우는 관객의 눈에 직접 보이지 않는 인물이 자신에게 어떻게 얼마만큼의 영향을 주는지를 알고 인식하여야 한다. 그래서 대본에 나와 있지는 않지만, 부재하는 존재로 향하는 인물의 상상과 시선이 무엇보다 중요해진다.

3.3. 인물을 사로잡는 내적 · 외적 이미지와 배우적 상상: 상상의 그림판

극적 세계 안에서 인물들은 모두 무엇인가에 사로잡혀 있다. <갈매기>의 인물들은 모두 자신이 사랑하는 대상에게 자신의 심장을 내어주고 오로지 상대인물에 대한 생각만을 한다. 뜨레쁠레프를 연기하는 배우도, 니나를 연기하는 배우도 인물이 되기 위해서 해야 할 일은 자신이 연기하는 인물 자체에 대해 생각하는 것이 아니라, 인물의 마음을 뺏어간 상대인물에게 마음을 완전히 뺏기는 것이다. 인물을 사로잡은 것에 눈과 귀, 온몸과 마음을 빼앗기는 것, 그것이 인물에게로 이르는 길이다. 자신의 대사만 파고드는 배우는 그래서 안쓰럽다.

상대인물 말고도 인물의 오감, 몸과 마음, 그리고 정신을 사로잡는 것으로 내적 · 외적 이미지들이 있다. 외적 이미지는 인물이 존재하는 공간 속에서 인물의 오감을 강력하게 자극하는 이미지이다. 이 이미지들은 관객에게도 실제로 보이고 들리는 이미지들이다. 대표적인 것이 <햄릿>에 나오는 선왕의 유령일 것이다. 아버지의 유령은 시종일관 햄릿의 마음을 사로잡는 이미지로 햄릿에게 강력한 영향력을 행사한다. 극 초반부에는 다른 인물에게도 보이던 유령은 3막 4장 거트루드와의 침실 장면에서는 거트루드에게는 보이지 않고 햄릿에게만 보이는 이미지로 변화함으로써 햄릿의 내적 상태의 변화를 보여준다. <갈매기>에서는 4막에서 들리는 바람소리를 예로 들 수 있다. 뜨레쁠레프에게 바람소리는 있는 그대로 바람소리로만 들리는 것이 아니라 니나의 울음소리처럼 들리며, 심한 바람소리 속에서 추위에 떨고 있을 니나의 모습을 끊임없이 상상하게 하는 소리이다. 니나에게 바람소리는 세상의 풍파로 들리며 그로 인해 파괴된 자신의 삶을 계속 떠오르게 하는 이미지로 작용한다. <갈매기> 2막에서 호수에 비쳐 반사되는 반짝반짝하는 햇빛도 뜨레쁠레프의 눈을 사로잡고 있는데, 햇빛은 지금 뜨레쁠레프 눈에 보이는 놀랍도록 차가워진 니나의 눈빛과 대비를 이루며, 예전에 자신을 사랑할 때의 니나의 눈빛을 기억나게 하는 이미지로 작용한다. <여름과 연기>에 나오는 천사 석상의 이미지는 존에게 사랑하는 앨머와 결부된 이미지로 작용하며, 자신이 앨머를 사랑하기에는 깨끗하다고 느끼지 못하게 하는, 그래서 결국 둘의 사랑을 엇갈리게 하는 이미지로 작용한다. 반대로 앨머에게는 자신을 옴짝달싹 못 하게 가두는 갑옷과 같은 이미지로 자신이 원하는 삶을 살지 못하게 방해하는 이미지로 작용한다. 질과의 섹스에 실패한 이후 앨런이 칼로 찌르는 말의 눈들도 인물을 사로잡는 외적 이미지라고 할 수 있겠다.

내적 이미지는 인물이 상대인물이나 시공간 속에 놓인 어떤 대상을 보았을 때 자신의 마음속에 떠오르는 이미지들을 말하는 것으로 **마음의 소리**, 혹은 **내적 독백**(inner monologue)을 포함한다. 연출이 인물의 내적 이미지들을 관객도 볼 수 있는 이미지로 시각화·청각화하는 경우를 제외하고는 관객은 이 이미지들은 직접 보거나 들을 수 없다. 관객은 인물이 그 이미지를 언급하는 것을 들으며, 그리고 내적 이미지가 배우의 눈, 얼굴, 신체에 일으키는 반응을 살피며 나름의 상상을 할 수 있을 뿐이다. 인물을 사로잡는 내적 이미지들은 많은 경우 기억의 이미지들이며 상상의 이미지들이다. 인물들은 이 이미지들을 보며 **생각**을 한다. 그리고 그 생각이 말과 행동, 그리고 정서를 낳는다.

　대표적인 것이 <맥베스> 4막 5장에서 몽유병에 걸린 맥베스부인이 자신의 손에서 보는 '피'일 것이다. 피는 관객의 눈에는 보이지 않지만 강력한 시각적·후각적·촉각적 이미지로서 맥베스부인의 마음을 사로잡고 있다. 자신의 눈에 보이는 피의 흔적을, 자신의 코에 나는 피 냄새를 없애기 위해 맥베스부인은 처절한 노력을 한다. 그와 같은 인물의 행동을 통해 관객은 맥베스부인의 죄의식과 남편에 대한 원망과 그리움을 읽어 내게 된다. <햄릿> 4막 5장에서 미친 오필리어가 보는 모든 이미지들도 내적 이미지가 된다. 오필리어는 자신만의 상상의 세계 속에서 자신의 눈에만 보이는 것을 보고 자신의 귀에만 들리는 소리를 들으며 마음껏 상상을 한다. 이 이미지들은 오필리어의 몸과 마음을 너무나 지배하고 있어서 현실세계를 제대로 인지하지 못하게 한다. 밖에서 봤을 때 딴 세계에 가 있는 것처럼 보이는 오필리어의 모습을 통해 관객은 오필리어의 아픔을 공감하게 되고 인물에 대한 연민을 갖게 된다. <갈매기>의 뜨레쁠레프와 니나를 사로잡고 있는 갈매기의 이미지는 꿈을 꾸고 날고 싶어 하지만 결국 총에 맞아 추락하는 자신들의 삶을 상징하는 이미지로 인물들의 마음을 지배하고 있다. 특히 4막의 니나는 이 이미지에 너무나 사로잡힌 나머지 자신이 무슨 이야기를 하고 있었는지도 순간 기억하지 못한다.

　인물의 마음을 사로잡고 있는 내적 이미지 중에는 실제 사실이 아님에도 불구하고 인물이 사실처럼 믿는 이미지들도 있다. 대표적인 것이 이아고가 오셀로의 마음에 불러일으키는 이미지들일 것이다. 이아고는 간계를 통해 순결한 데스데모나를 오셀로의 마음속에 불륜을 저지르는 부정한 이미지의 데스데모나로 바꾸어 놓고, 이 이미지에 사로잡힌 오셀로는 결국 사랑하는 데스데모나를 살해하는, 결코 되돌릴 수 없는 잘못과 죄를 범하는 인물로 전락하고 만다. <리어왕>에서 에드먼드가 아버지 글로스터에게 불어넣은 배은망덕한 아들로서의 에드거의 이미지도 마찬가지이다. 이와 같은 이미지들은 인물들의 눈을 멀게 하고 그로 인해 씻을 수 없는 죄를 짓게 한다.

내적이든 외적이든 이 이미지들은 인물의 심신에 지대한 영향을 주는 이미지들로서, 배우는 그 이미지들이 인물에게 영향을 주는 만큼 자신의 심신에 영향을 줄 수 있는 이미지로 상상하여야 한다. 배우가 호수에 비치는 햇빛을 상상했을 때 뜨레쁠레프에게 일어나는 반응과 같은 정도의 반응이 일어나지 않는다면, 햇빛을 상상했다는 것만으로 인물이 될 수 없다. 그럴 경우 배우는 자신만의 고유한 이미지로 인물의 이미지를 대신할 (substitute) 필요가 있다. 왜냐하면 이미지에 대한 **반응의 정도가 같을 때**에만 배우는 인물이 될 수 있기 때문이다.

배우는 인물의 내적 이미지들을 상대인물에게 그리고 관객에게 떠올릴 수 있게, 인물의 마음의 소리를 들을 수 있게 연기하여야 한다. 배우는 상대인물의 눈을 향해 혹은 관객과 카메라가 있는 방향에 있는 **상상의 그림판**에 내적 이미지들을 비춰 보여야 한다. 상대인물에게 내비쳐 보이지 않는 이미지들은 반드시 관객에게 보여야 한다. 그래야 관객이 함께 상상할 수 있고 따라서 알 수 있다. 무대상에서 배우가 행하는 모든 것은 관객에게 보이고 들리기 위해, 그래서 관객이 알 수 있기 위함이다.

4 ■ 극적 사건과 극적 행동과 배우적 상상

극적 사건을 제대로 파악하고 그로부터 극적 행동을 온전히 도출해 내기 위해서는, 인(因)과 연(緣)을 보는 눈이 필요하다. 세상 모든 일은, 모든 현상과 결과들은 "원인을 이루는 근본 동기"인 '인'과 "원인을 도와 결과를 낳게 하는 작용"[2]인 '연'이 결합해서 생겨난다. 현상이자 결과로서 극적 사건을 파악하기 위해서는 사건이 근본적으로 어디에서부터 발생하는가(인)를 밝히는 것에서 그치지 않고, 사건으로 확대되고 그 영향이 확산되는 것(연)에 작용하는 관련 요소들을 함께 살펴야 하는 것이다. 많은 사람들의 사랑을 받은 <신과 함께: 인과 연>은 한 사람의 삶을 이해하기 위해서는 현상과 결과를 낳은 인과 연을 살펴야 그 사람이 진정 귀인(貴人)인지 아닌지를 알 수 있다는 것을 잘 알려주는 영화이다. 배우가 극적 사건을 파악하고 인물의 행동과 삶을 이해하는 과정도 정확히 그와 같아야 한다.

극은 극적 사건을 중심으로 짜여 있다. 극적 사건은 인물들이 정말로 어떤 인물인지를 알게 해주는 **시험대**가 된다. 좋은 작품일수록 극에서 일어나는 사건은 단순하지 않으며 여러 겹과 층을 이루고 있는 경우가 많다. 고전 비극에서는 '삼일치'의 법칙에 따라서 하나의 극적 사건과 행동만이 다뤄져야 한다고 믿었지만, 삶의 복잡성과 불가해성을 다루는 대다수의 작품에서는 복잡한 사건들이 치밀하게 얽혀있어서 그 사건의 인과 연, 인과관계와 상관관계를 밝혀내는 일은 치밀하고 정교한 분석을 요한다. 예를 들어, 피터 셰퍼의 <에쿠우스>에서 일어나는 미스테리한 극적

---

2   『민중국어대사전』의 사전적 정의

사건을 파악하기 위해 배우가 눈여겨봐야 하는 것은 극에서 일어나는 사건이 다이사트로 하여금 의사를 그만두게 하는 사건이라는 점이다. 다이사트는 앨런이 치료의 대상이 아니라고 고백한다. 앨런을 연기하는 배우는 그와 같은 관점에서 앨런의 상태를 해석해야 하고 극적 사건들을 바라보아야 한다. 앨런은 상처 입은 인간일 뿐이다. 그럼에도 불구하고 많은 배우들은 앨런을 환자라고 설정하고 연기하는 경향이 있다. 의사가 '치료'라는 명목하에 병으로 규정하고 억압하고 제거하려고 하는 앨런의 상태를 배우가 어떻게 상상하는지가 보고 싶어서 관객은 극장을 찾는 것이다.

4.1. 변화의 움직임

모든 극에는 극적 사건이 일어나고 사건의 회오리 속에서 인물들은 끊임없이 반응하고 행동하며, 행동과 반응을 통해 인물 자체에도, 인물관계에도 **변화**가 일어난다. 극 속 모든 장면들에는 변화의 **움직임**이 담겨있고, 배우는 그와 같은 변화의 움직임―의식의 흐름, 생각의 움직임, 마음의 움직임, 심리적 움직임, 정서적 움직임, 신체적 움직임 등―을 온전히 파악할 수 있을 때 그 시작과 중간과 끝을 제대로 연기할 수 있게 된다. 그와 같은 변화의 움직임은 독백만으로 구성된 장면에서도 마찬가지로 일어난다. 다음은 에드거의 독백만으로 구성되어 있는 <리어왕> 2막 3장이다.

에드거

나를 잡는 포고령을 들었다.
그런데 때마침 나무에 구멍이 있어서

추적을 피했다. 항구는 다 막혔고
어디서나 나를 체포하려고 지키며
유별난 경계를 펴고 있다. 피할 수 있는 한
몸을 보전하리라. 그래서 여태껏
가난이 인간을 경멸하여 동물로 전락시킨
최고로 천하고 최고로 볼품없는 형상을
취하리라 생각했다. 얼굴엔 똥칠하고
허리엔 담요를 두르고, 쑥대머리에다
맨살을 다 보이도록 드러낸 채
바람과 하늘의 박해에 대항하리.
그 증거와 선례로 미치광이 거지들이
이 나라에 있으니, 그들은 고함을 지르며
쇠침과 나무 대못, 못과 찔레 가지를
마비되어 감각 없는 맨 팔뚝에 찔러넣고
그 끔찍한 모습으로 누추한 농가와
가난한 촌 동네, 움막과 물방앗간에서
때로는 미치광이 저주로, 때로는 기도로
동냥을 강요한다. 불쌍한 걸신! 불쌍한 톰!
그런 건 있어도 나 에드거는 없는 거다. (73)

에드거의 독백만으로 구성되어 있는 이 장면에서 극적 행동은 무엇이며
그로 인해서 일어난 인물의 변화는 무엇일까? 인물의 말은 인물의 생각의
흐름을 보여주며 생각의 결과로 일어난 인물의 변화를 담고 있다. 말의
흐름에 따른 인물의 변화와 말이 수반하는 혹은 말과 병행하는 인물의 행
동을 파악하는 것은 배우로서 희곡 읽기의 중심적 부분을 차지한다. 다시
강조하지만, 배우가 연기하는 모든 것은 오로지 배우의 신체와 소리를 통

해서만 관객에게 전해진다. 보다 정확하게 말하자면, 신체의 변화와 차이, 소리의 변화와 차이를 통해서만 관객은 인물을 인식하고 이해하며, 배우들 간의 몸과 몸의 관계와 변화, 소리와 소리의 관계와 변화를 통해서만 극을 이해할 수 있다. 에드거는 장면에 등장할 때에는 모습이 많이 흐트러지기는 했으나 귀족의 자제다운 모습을 하고 있다. 하지만 독백과 장면이 끝날 때에는 상거지나 노숙자와 다름없는 비참한 모습을 하고 있다. 독백이 진행되는 동안 에드거는 지금의 상황에서 일단 살아남는 것이 중요하다고 판단하고, 자신이 본 적이 있는 미치광이 거지 톰의 형상을 샘플로 삼아 자신이 에드거임을 알아볼 수 있는 모든 흔적을 지운다. 자신을 철저하게 부정하는, 그래서 기존에 자신이 가진 모든 것을 벗어던지는 '무'(無, nothing)의 상태로 추락하는 극적 행동을 보이는 것이다. 마지막에는 자신의 목소리와 말투까지 완전히 바꾸는 에드거의 처절한 생존투쟁을 통해 관객은 눈앞에서 한 인물이 완전히 다른 인물로 변화하는 추락의 과정을 시각적으로 그리고 청각적으로 지켜보게 된다. 생각·기억·상상과 소리·말 그리고 몸·행동은 항상 서로에게 상응하는 것이다. 말로만 되어있는 대본을 읽으면서 배우는 항상 감각과 몸으로 생각·기억·상상하며 그것에 걸맞은 소리와 몸짓과 행동을 찾아야 한다.

　　에드거의 경우처럼 관객이 인물의 변화를 시청각적으로 뚜렷이 보고 들을 수 있는 장면도 있지만, 많은 장면에서 그 변화는 보다 섬세하고 점진적인 경우가 많다. 그래서 배우들이 대본을 읽으면서 그 변화를 감지하기 쉽지 않다. 하지만 분명 모든 장면에는 어떤 식이든 극적 의미를 가지는 변화가 있고, 배우는 대본을 읽으며 시시각각 일어나는 인물의 생각과 정서의 변화, 마음의 변화, 몸과 행동의 변화를 그리고 변화의 흐름을 읽고 상상하여야 한다.

4.2. 표면적으로 일어나는 사건 vs 진짜 사건

텍스트와 서브텍스트의 관계처럼, 많은 극에는 텍스트상에 표면적으로 일어나는 사건말고도 서브텍스트처럼 근저에서 진짜로 일어나는 사건들이 있다. 배우가 표면적으로 일어나는 사건만을 읽어낸다면 그의 연기는 극과 인물에 대한 어떠한 통찰도 보여주지 못하는 얕은 재주로 전락할 위험이 있다. 인물의 행동은, 행동의 동인은 텍스트상에 직접적으로 명시되지 않은 진짜 사건에 근거하기 때문이다.

쉬운 예로, <갈매기> 1막의 극중극 동안 일어나는 사건을 들 수 있다. 뜨레쁠레프는 자신의 극중극이 공연되는 중간에 극중극을 중단시키는 극적 행동을 한다. 이 행동은 어떠한 사건에 근거한 것인가? 텍스트는 표면상으로는 극중극에 대한 어머니의 조롱적 반응과 산만한 관객들 때문에 뜨레쁠레프가 공연을 중단시키는 것처럼 보인다. 하지만 뜨레쁠레프는 애초에 어머니가 몹시 싫어할 공연을 도전적으로 준비했다. 어머니가 공연을 싫어한다면 그것은 자신의 목적에 매우 부합하는 반응으로서 공연을 중단시킬 이유가 전혀 아니다. 뜨레쁠레프는 오로지 니나에 집중해 있다. 어떤 식으로든 니나가 리허설에서와는 다르기 때문에 공연을 중단시켰을 가능성이 크다. 니나는 오로지 뜨리고린만을 신경 쓰고 있기 때문에 니나가 달라졌다면 그 원인은 뜨리고린에게 있을 것이다. 아르까지나가 공연을 보는 도중 유난을 떤다면 연인인 뜨리고린과 니나 사이에 오가는 심상치 않은 기류를 감지했기 때문일 것이다. 관객들의 산만함 역시 표면적으로는 니나가 연기를 제대로 하지 못해서인 것처럼 보이지만, 아르까지나와 뽈리나만 소란을 피우는 것을 보면 남성 관객들은 어떤 식으로든 니나에게 사로잡혀 있을지도 모른다. 니나는 뜨리고린을 사로잡고 싶었기 때문에 그를 위해 무엇이든 했을 가능성이 크고, 니나의 행동은 뜨리고린뿐

만 아니라 다른 남성 인물들까지 매료시켰을 가능성이 크다. 배우를 꿈꾸
는 니나의 연기력이 형편없다고 해석하게 되면 주인공을 약화시키는 역효
과를 가져온다. 주인공이 약해지면 극이 흔들린다. 주인공 인물은 모든 면
에서 남다르다는 사실을 잊어서는 안 된다.

앞의 예에서 알 수 있듯이, 어떤 사건이 정말로 일어나고 있는지를
파악하는 것이 인물이 어떤 극적 행동을 하는지를 파악하고 실행함에 있
어서 필수적인 전제가 된다. 다음은 유명한 맥베스부인의 몽유병 장면이
다. (논의의 편의를 위해 중간에 나오는 전의와 시녀의 대사를 빼고 하나
로 연결해보았다.)

없어져라, 이 흉측한 흔적! 없어지래두! 하나. 둘. 아, 지금이 해치울 시간
이다. 왜 이렇게 지옥은 깜깜할까! 폐하, 이게 무슨 작태이오니까! 장군답
지 않게 무서워하시다니! 누가 알까 봐 염려할 게 뭐 있어요? 우리의 권
력을 시비할 자는 이 천하에 없습니다. 하지만 그 늙은이 몸 안에 그렇게
많은 피가 들어있을 줄은 몰랐어요 . . 파이프 영주에게는 부인이 있었는
데, 지금은 어디 있을까? 어쩌지, 이 손은 영영 깨끗해질 수 없단 말인가?
그만 해요. 제발 그만 하시래두요! 그렇게 겁먹고 부들부들 떠시면 모든
일이 헛일이 되고 말아요 . . 아직도 피비린내가 난다. 아라비아의 온갖
향료로도 이 작은 손의 악취를 없앨 수 없단 말인가. 아! 아! 아! 손을 씻
고 잠옷으로 갈아입으세요 그렇게 백지장 같은 얼굴을 하지 마시구요 재
삼 말씀드리지만 뱅코우는 이미 땅속에 파묻힌 사람이에요 무덤에서 살
아나올 린 없잖아요 . . 어서 침상으로 가세요 침상으로 누가 문을 두드
립니다. 자, 자, 자, 자, 손을 이리 주세요 해치운 일은 이미 끝낸 일입니
다. 침상으로 가세요 침상으로 침상으로요 (122-23)

이 장면은 일반적으로 맥베스부인이 잠을 자면서까지 죄의식으로 고통받는 장면으로 해석되고 또 그렇게 알려져 있다. 하지만 과연 그것이 전부일까에 대해서 의문을 갖게 되는 것은 남편에 대한 이미지가 유독 많고, 셰익스피어가 자주 사용하는 언어적 패턴에서 벗어난 부분이 꽤 의미심장하게 다가오기 때문이다. 셰익스피어는 많은 경우 같은 말을 3회 반복하는 패턴을 자주 보이는데, 이 맥베스부인 독백에서는 "자, 자, 자, 자" (Come, come, come, come)를 4회 반복하는 흥미로운 변칙을 보이고 있다. 그리고 이어서 "내 손 잡아요"(Give me your hand)라는 대사와 함께 다시 "침상으로"(To bed)라는 표현의 3회 반복으로 끝을 맺고 있다. 독백 안에 남편 맥베스에 대한 이미지가 많다는 것은 남편에 대해서 그만큼 생각을 많이 하고 있다는 것을 의미할 수 있다. 남편에 대해 생각을 많이 한다는 것은 맥베스부인이 극의 이 시점에 이르러 지독한 외로움을 느끼고 있으며 남편에 대한 그리움이 커져 있음을 말해준다. 실제로 3막 이후 맥베스와 맥베스부인은 더 이상 같은 장면에 등장하지 않는다. 맥베스를 왕으로 만드는 과정에서 긴밀하게 함께 했던 두 사람이 더 이상 함께 하는 장면이 없다는 것은 두 사람 사이가 요원해졌음을 의미한다. "자, 자, 자, 자, 내 손을 잡아요"라는 맥베스부인의 대사는 이 순간 남편이 자신이 손을 잡아주기를 간절히 바라는 마음이 담겨있다. 그래서 "침대로, 침대로, 침대로"라는 대사는 매우 의미심장해진다. 원래는 성문을 두드리는 소리에 급하게 침실로 돌아가 피 묻은 손을 닦고 아무 일 없는 듯 행동하자는 뜻이지만, 지금 이 몽유병 상태에서 남편을 그리워하는 맥베스부인이 침대로 가자고 하는 것은 부부간의 사랑을 갈망하는 듯한 뉘앙스를 갖게 된다.

이 독백으로부터 맥베스부인의 죄의식만을 읽어낸다면, 배우는 그 죄의식이 낳는 고통을 연기하기에 급급할 것이다. 하지만 죄의식보다 깊은 곳에 남편에 대한 그리움과 사랑을 읽어낸다면, 이 독백은 맥베스부인이 죄의식에 떨고 있는 자신에게 남편이 와서 손을 꼭 잡아주고 다시 자신을 사랑해주기를 갈구하는 독백이 될 것이다. 2막 2장에서 자신이 정확하게 남편에게 그렇게 했던 것처럼 말이다. 단검을 두고 돌아와서 떨고 있는 남편을 위해 피 묻은 손으로 남편의 손을 잡아 어루만지며 "이제 내 손도 당신 손과 같은 색이 되었어요"라고 말했던 것처럼 말이다. 하지만 끝끝내 맥베스부인의 손은 아무도 잡아주지 않는다. 그녀가 결국 자살하게 되는 것은 그토록 사랑했던 남편이 그녀를 버렸기 때문이다. 몽유병 자체가 맥베스의 부재에 그 원인을 찾을 수 있는 것이다. 맥베스가 침대에서 그녀를 꼭 안고 있어 주었다면 맥베스부인은 이렇게 몽유병을 겪으며 남편을 찾아 돌아다니지 않았을 것이다.

다음은 <갈매기> 4막에 나오는 뜨레쁠레프의 독백이다.

(글을 쓰다가 이제까지 쓴 것을 훑어보며) 새 형식에 대해 그렇게 많이 이야기해 놓고는, 이제는 나 스스로 진부한 관습에 빠져드는 것을 느끼니. (읽는다) "담장 위의 포스터는 전한다. . . 검은 머리카락이 에워싼 창백한 얼굴". . . 전한다, 에워싼. . . 유치해. (지운다) 빗소리가 주인공을 깨우는 장면부터 시작하고, 나머지는 전부 지워버려야겠어. 달밤에 대한 묘사는 길고 세련되었어. 뜨리고린은 자기 방법을 만들어, 수월할 거야. . . 그 사람 작품은, 제방 위에서 깨진 병의 주둥이가 반짝이고, 물레방아 그림자가 드리운다고 하면, 달밤이 준비되지만, 내 작품은 흔들리는 불빛과 조용히 빛나는 별들, 은은하고 향기로운 공기에 사라지는, 멀리서 울리는 피아노 소리니. . . 괴로워. (사이) 그래, 중요한 건 낡은 형식과 새로운 형식에 있는 게 아니라, 인간이 쓴다는 거, 어떤 형식인지 생각하지 않고 마음속에

서 자유롭게 흘러나오기 때문에 쓴다는 걸, 점점 더 확신하게 돼. (누군가 책상 부근에 있는 창문을 두드린다) 뭐지? (창문을 살펴본다) 아무것도 보이지 않는데. . . (유리문을 활짝 열고 정원을 바라본다) 누가 계단을 뛰어 내려가는군. (소리친다) 거기 누구예요? (퇴장. 그가 빠르게 테라스로 가는 소리가 들리고, 곧 니나와 함께 들어온다) 니나! 니나! (178)

뜨레쁠레프가 이 독백을 하는 동안에 하는 극적 행동은 무엇일까? 언뜻 보기에 뜨레쁠레프는 작가로서 글쓰기에 대한 고민을 하고 자신의 글이 뜨리고린의 수준에 도달하지 못해 괴로워하고 있는 것처럼 보인다. 만약 이 독백을 이렇게만 해석한다면, 이 독백은 뜨레쁠레프의 열등감과 자격지심에 관한 독백이 되고 특별한 극적 행동 없이 자신의 감정(괴로움)만을 토로하는 독백이 되고 만다. 하지만 이 독백은 단순히 글쓰기에 관한 독백이 아니다.

뜨레쁠레프의 독백은 항상 니나를 기다리는 동안에 이루어진다. 독백을 하는 동안 그가 하는 극적인 행동은 항상 니나에 대한 적극적인 기다림이다. 4막에서 뜨레쁠레프가 혼자 남게 되는 것은, 그래서 독백을 하게 되는 것은 우연이 아니라 뜨레쁠레프 자신이 적극적으로 모색한 결과이다. 다들 식사를 하러 가는 동안 뜨레쁠레프는 의도적으로 혼자 남는 선택을 한다. 사실 뜨레쁠레프는 나중에 "니나! 니나! 당신이군요. . . 당신. . . 난 마치 예감이나 한 것처럼, 하루종일 마음이 너무 괴로웠어요"(179)라고 고백하듯이, 하루 종일 니나를 기다리고 있다. 오늘 아르까지나가 여기로 오기로 되어있고, 뜨리고린이 동행할 것이기 때문에, 니나가 올 것임을 뜨레쁠레프는 직감하고 있다. 더구나 니나가 일주일째 이곳에 머물고 있다는 것과 몰래 이곳과 주변, 그리고 옛 극중극 무대가 있는 곳에 다녀갔다는 것을 뜨레쁠레프는 이미 알고 있다.

혼자 남겨진 뜨레쁠레프가 글을 쓴다면 1) 무엇에 대해 쓰고 있을까? 2) 왜 그것을 쓰고 있을까? 그리고 3) 그것을 어떻게 쓰고 있을까?에 대해 많은 생각을 불러일으킨다. 그는 쓰고 싶은 글을 쓰고 있을까, 아니면 쓰고 싶지 않은데 쓰고 있는 것일까? 생각나는 것을 쓰고 있을까? 혹은 생각나는 것을 생각하지 않기 위해서 일부러 다른 것을 쓰고 있을까? 생각나는 것을 쓰고 있다면 생각이 밀물 듯이 몰려와서 쓰고 있는 것일까? 아니면 생각이 잘 나지 않아서 억지로 쓰고 있을까? 이런 질문들에 대한 해석과 선택에 따라 뜨레쁠레프의 글쓰기를 연기하는 것은 완전히 달라진다. 어떤 것이 지금 이 시점의 뜨레쁠레프에게 가장 적합한 것일까?

뜨레쁠레프가 독백을 하는 내내 그의 눈과 귀는 끊임없이 그리고 매우 예민하게 바람이 거세게 부는 어둠 속 바깥을 향한다. 니나가 비바람과 어둠 속에 떨고 있을 생각만 하면 마음이 아파서 견딜 수가 없다. 자신이 쓴 글을 다시 읽어봤을 때 발견하게 되는 "검은 머리카락이 에워싼 창백한 얼굴"에서 뜨레쁠레프는 자신도 모르게 니나의 얼굴을 떠올렸음을 깨닫게 될지도 모른다. 니나를 생각하지 않으려고 글을 썼는데 자신도 모르게 니나를 그리고 있는 자신을 발견할지도 모른다.

인기척이 났을 때, 뜨레쁠레프는 혹시 니나가 아닐까란 생각에 즉각적으로 반응하면서, 빠르게 니나를 찾고 계단을 뛰어 내려가는 사람이 니나인지 확인한다. "거기 누구예요?"라는 자신의 외침에 어둠 속 인물이 반응하는 모습을 보고 니나임을 확인한 뜨레쁠레프는 니나를 붙잡기 위해 전속력으로 밖으로 달려나간다.

뜨레쁠레프의 이 독백을 글쓰기에 관한 독백으로만 간주하더라도 만만치 않은 연기적인 문제가 도래한다. 왜냐하면 상대적으로 매우 짧은 독백 안에서 뜨레쁠레프는 글쓰기에 관해 180도 다른 생각 혹은 '깨달음'에

도달하기 때문이다. "그래, 중요한 건 낡은 형식과 새로운 형식에 있는 게 아니라, 인간이 쓴다는 거, 어떤 형식인지 생각하지 않고 마음속에서 자유롭게 흘러나오기 때문에 쓴다는 걸, 점점 더 확신하게 돼"라는 깨달음은 도대체 어디에서 기인한 것이고 어떻게 짧은 시간 내에 가능한 것이냐는 문제를 뜨레쁠레프를 연기하는 배우는 관객이 납득할 수 있도록 풀어내야 한다. 그렇지 않고 그냥 대사가 주어진 대로만 이어간다면, 관객은 이 독백으로부터 아무런 의미도 찾지 못하고 억지라는 인상을 갖게 될 것이다. 대본에 지문으로 인물의 행동이 적혀 있지 않아서 생각할 필요가 없다고 여기는 것은 대본을 읽을 줄 모르는 배우의 매우 구차하고 게으른 변명일 뿐이다. 작가는, 특히 안톤 체홉 같은 작가는 인물의 모든 신체 행동들을 대본 속에 명시하지 않는다. 그 행동들을 상상하고 납득이 되게 구현하는 것은 배우의 몫이기 때문이다.

힌트는 "괴로워"라는 직전 대사와 그 뒤에 바로 이어지는 "사이"에 있다. "괴로워"라는 대사는 인물의 감정 상태를 드러내는 말이지만, 배우는 단지 감정을 파악하는 데에만 머물러서는 안 된다. 왜냐하면 인물의 감정과 관련된 모든 것들은 인물에게 어떤 식으로든 말이나 신체행동을 하게 하기 때문이다. 인물이 얼마만큼 괴로운지를 제대로 파악하는 일이 선행하기는 하여야 한다. 인물은 대개 '괴로워서 죽겠다' 혹은 '괴로워서 미쳐 버리겠다' 정도의 감정 상태에 도달한다. 그리고 그와 같은 감정 상태를 표현하기 위해 혹은 벗어나거나 극복하기 위해 인물은 반드시 어떠한 신체적 행동을 하기 마련이다. 배우는 "괴로워"라는 인물의 말과 그다음에 이어지는 "사이" 동안에 인물이 하는 신체적 행동을 찾아야 한다. 그와 같은 행동 끝에 뜨레쁠레프는 변화하면서 매우 고통스럽고도 아픈 깨달음에 도달하게 되는 것이다. 예를 들어, 뜨레쁠레프는 아마도 충동적으로 자신이 쓴 원고들을 몽땅 벽난로 속 불길에 던져버리려고 할지도 모른다. (대본에 없지만, 추운 날씨에 귀족 저택이라면 벽난로가 있다고 상상하는 데에는 별 무리가 없을 것이다.) 그런데 순간 뜨레쁠레프는 벽난로 속에 연약하게, 하지만 꺼지지 않고 타오르는 불의 이미지에 사로잡힐지도 모른다. 정형화되기를 거부하면서 변화무쌍한 형태로 타오르는 불을 바라보며 뜨레쁠레프는 자신의 글쓰기도 그와 같아야 한다는 깨달음에 도달할 수 있을지도 모른다. 이와 같은 상상은 실제로 뜨레쁠레프로 연기 연습을 하던 어느 배우가 우연히 발견한 한 가지 예이자 가능성이다. 정답은 없다. 배우 자신만의 상상을 시도하려는 도전만이 있을 뿐이다.

<갈매기> 4막의 중심을 차지하는 니나와 뜨레쁠레프의 재회 장면을 살펴보자. 이 길고 긴 장면에서 정말로 일어나는 일은 니나와 뜨레쁠레프가 만나는 것이고, 니나와 무대 위에서 보이지 않는 뜨리고린이 다시 만나는 것이다. 자신이 사랑하는 남자와 자신을 사랑하는 남자를 동시에 만나는 것, 그 재회가 <갈매기> 4막 니나와 뜨레쁠레프 장면에서 일어나는 중심 사건이다. 니나는 뜨리고린과 얼굴을 마주하고 만나기를 원치 않는다. 그래서 뜨리고린에게로 달려가지 않으려고 안간힘을 쓰고, 그래서 니나는 지친다.

니나와 뜨레쁠레프의 만남은 극중극 독백을 통해 **작가와 배우의 만남**으로 바뀐다. 또한 4막의 재회는 **마지막 만남**이 되기도 한다. 니나가 "내가 유명한 배우가 되거든, 저를 꼭 보러 오세요. 약속하는 거죠?"(183)라고 말하지만, 니나는 다시는 뜨레쁠레프를 만나지 않을 것이라는 것을 알고 있다. 마찬가지로 "난 그 사람을 사랑해요. 전보다 더 사랑하고 있어요. . . 어느 단편소설의 내용이죠. . . 사랑해요, 사랑해요, 열렬히, 끔찍하게 사랑하고 있어요"(183)라는 니나의 말도 뜨리고린을 향한 마지막 작별

의 인사이다. 이와 같은 극적 사건과 그에 따른 극적 행동을 읽어내지 못한다면 배우의 연기는 피상적이고 겉도는 연기가 될 것이다.

4.3. 저의(底意)와 극적 행동

인물이 표면적으로는 잘 드러내지 않는 **저의**를 가지고 말하고 행동할 때에는 항상 모든 말과 행동이 다른 **뉘앙스**를 풍기면서 장면에 **묘한 긴장**을 유발한다. 해롤드 핀터의 작품들은 특히나 인물들이 어떤 저의를 가지고 있어서 '악의적 위협'(menace)을 보이는데, 그 악의의 근원이나 이유가 끝까지 전혀 드러나지 않기 때문에 연기하기 무척 어려운 대본이 된다. 일반적으로 '의도'(intention)라는 용어를 많이 사용하지만, 대개 인물은 자신의 의도를 숨긴다는 관점에서 **저의**라는 표현이 배우의 상상에 더 도움이 되는 용어이다. 저의가 쉽게 드러나는 인물일수록 하수(下手)이고 잘 드러나지 않을수록 고수(高手)이다. 선택이 가능하다면, 배우는 자신이 연기하는 인물을 고수로 해석할수록 극에 더 기여할 수 있다. 하수의 세계는 단순한 세계이기 때문이다.

다음은 <동지섣달 꽃 본 듯이> 4장에 나오는 둘째와 늙은 보부상 간의 대화이다.

둘째

자, 어서들 오세요! 아름다운 비단을 싸게 팝니다!

늙은 보부상

여보게, 장사 솜씨가 보통이 아닐세! 다른 사람들은 절반도 못 팔았는데, 우린 거의 다 팔았네! 그런데, 자네 생각은 어떤가?

둘째

어떤 생각을요?

늙은 보부상

나하고 함께 보부상을 해볼 텐가?

둘째

지금 하고 있잖습니까?

늙은 보부상

평생 동업하잔 말일세!

둘째

평생을. . .

늙은 보부상

나는 이제 늙었네. 동업하다가 나 죽거든 모든 건 자네 것일세!

둘째

말씀은 고맙습니다만. . .

늙은 보부상

왜 싫은가?

둘째

왠지 제가 할 일이 아닌 듯하여서. . .

늙은 보부상

할 일이 아닌 듯하다니? 이 사람아, 그럼 자네 할 일이 뭔가?

둘째

글쎄요, 아직 그걸 잘 모르겠습니다.

늙은 보부상

딴소리 말게! 자넨 보부상이 적격일세! (236)

표면적으로는 늙은 보부상이 장사에 뛰어난 소질을 보이는 둘째에게 자신의 후계자가 될 생각이 없는지를 떠보는 장면이다. 그렇게만 본다면 별 볼 일 없는, 기능적 역할의 짧은 장면에 지나지 않을 것이다.

그러나 앞서 극세계의 구조에 대한 분석에서 언급했듯이, 둘째가 접하게 되는 세계가 개인의 욕망이 만들어낸 허상의 세계이고, 둘째의 여정이 허상을 뚫고 참된 마음을 들여다볼 수 있는 눈을 갖게 되는 여정이라고 한다면, 이 장면은 사뭇 다르게 읽힐 수 있다.

장사꾼인 늙은 보부상의 제안은 순수한 제안으로 보기 어렵다. 둘째를 향한 늙은 보부상의 욕망은 무엇일지를 생각해볼 필요가 있다. 만난 지 얼마 되지 않은 둘째에게 장사를 잘한다는 한 가지 이유만으로 자신의 모든 것을 넘기겠다는 제안 밑에는 어떤 **저의**가 있다고 보지 않을 수 없다. 밑지는 장사는 하지 않는 것이 장사꾼이다. 그리고 그야말로 살날이 얼마 남지 않은 보부상이 무슨 큰돈을 벌겠다고 다른 장사꾼들도 있는데 굳이 둘째를 영입하려고 하겠는가? 나이에 맞지 않게 가진 돈으로 젊은 남자를 유혹하고 있는 것이나 다름없다. 사실 나이 많고 돈 많은 남자인물이 젊은 여자인물에게 이런 제안을 한다면, 그것이 아무리 정중하게 이루어진다고 할지라도, 우리는 남자의 저의를 의심할 것이다.

처음에는 활기차게 늙은 보부상의 말에 대답하던 둘째가 제안을 받은 이후에는 말을 잃은 듯한 반응을 보이는 것을 보면 보부상의 제안을 무척 부담스러워함을 알 수 있다. 그리고 탁발승들이 등장하고 나서 마치 급히 도망치듯이 둘째가 늙은 보부상을 떠나는 모습을 보면, 더더욱 그와 같은 해석은 힘을 얻는다.

둘째가 놓인 세계는 순진한 세계가 아니다. 작가가 그리고 있는 그곳은 물질적 욕망의 세계이고, 그곳에서 일어나는 일들은 욕망이 지배하고 있다. 바로 이어서 등장하는, 시주를 받으러 다니는 장님 탁발승이 장면

끝에 사실 장님이 아니었다는 사실, 탁발승들은 사실 가짜 중이었다는 사실이 이를 또한 뒷받침한다. 이 세계는 인물들의 겉모습과 표면적인 행동이 그들의 실체와 어긋나는 세계인 것이다. 극세계를 제대로 파악해서 정말로 어떤 사건이 일어나고 그에 따라 인물이 어떤 극적 행동을 하는지를 배우는 대본에서 상상할 수 있어야 한다.

4.4. 다중 행동(multiple actions)

연기는 멀티태스킹(multi-tasking)이다. 한 번에 하나씩밖에 하지 못하는 배우는 가장 훈련이 되지 않은 배우이다. 훈련된 배우는 한 번에 5가지, 7가지, 심지어 10가지를 동시에 수행할 수 있다. 연기력의 차이는 멀티태스킹 능력의 차이라고 해도 과언이 아니다.

극적 행동은 단일 행동일 수도 있지만, 이중 행동, 다중 행동일 수도 있다. 단일 행동일수록 모든 것이 분명하다. 대신 그만큼 단순해질 위험이 있다. 이중 행동이나 다중 행동이 되면 극은 훨씬 더 복잡한 것이 된다. 이중 행동이나 다중 행동은 단순히 극을 어렵게 만들기 위해서 쓰인 것이 아니다. 그것은 복잡한 세계의 정직한 산물이다. 극세계와 극적 행동은 분리될 수 없다. 극세계가 복잡할수록 그 속에서 인물의 행동은 단순해질 수 없다. 다중 행동을 연기할 수 있는 배우에 의해서 복잡한 세계가 그려질 수 있는 것이다.

문제적 장면 중의 하나인 <햄릿> 3막 1장은 극적 사건과 극적 행동의 관점에서 매우 복잡한 분석을 요하고 연기적으로도 매우 어려운 도전거리를 던져준다. 이 장면에서 햄릿과 오필리어의 연기가 극도로 어려운 것은 여러 가지 극적 행동을 동시에 수행해야 하기 때문이다. 하나의 극적 행동만이 있어야 한다는 고전 비극의 불문율을 셰익스피어는 보란 듯이 파괴하고 있다. 어떠한 극적 사건이 일어나고 그것에 따라 인물들이 어떤 극적 행동을 하는가를 파악하기 위해 극적 상황을 명료하게 정리하는 것에서 시작해보자.

1) 클로디어스와 폴로니어스가 무대 위에 몸을 숨긴 상태에서 햄릿의 광기의 원인을 알아내기 위해, 햄릿과 오필리어를 지켜보고 있다.
   − 사실 똑같이 감시하고 있지만 클로디어스와 폴로니어스의 동기는 다르다. 클로디어스는 햄릿의 저의를 알고 싶어 하고 폴로니어스는 햄릿의 광기가 자신의 딸에 대한 햄릿의 사랑 때문임을 입증하고 싶어 한다.
2) 오필리어는 왕과 아버지가 지켜보는 상황 속에서 사랑하는 사람을 만나야 한다. 왕과 아버지의 눈에는 오필리어가 햄릿의 사랑을 거부하는 것처럼 보여야 한다. 하지만 왕과 아버지에게 들키지 않고 오필리어는 사랑하는 사람의 진심을 확인하고 싶어 하고 그의 사랑을 되찾고 싶어 한다.
3) 관객은 햄릿이 이 감시의 덫에 걸려들지 아닐지, 오필리어가 감시 속에서 자신의 연인을 어떻게 대할지, 아버지의 지시대로만 할지 아니면 어떤 식으로든 거스를지를 지켜보고 있다. 햄릿이 이 모든 위기의 순간에 어떻게 대처할지를 지켜보게 된다.

　햄릿은 장면 초반에 자신이 감시받고 있다는 사실을 깨닫게 된다. 어떻게 알게 되는가에 대해서는 여러 가지 해석이 가능하지만, 1차적으로는 눈앞에 있는 상대인물 오필리어에게서 그 이유를 상상하는 것이 좋다. 감시 속에서 연기를 하고 있는 오필리어의 행동이 평소와 다르다는 것을 햄릿은 쉽게 눈치챌 수 있다. 사랑하는 사이에 있는 인물들은 서로의 미세한 변화를 너무나 쉽게 알아차린다. 더구나 오필리어는 그렇게 연기를 잘하는, 혹은 거짓말을 잘하는 인물이 못 된다. 오필리어가 어떤 식으로든 아버지에게 들키지 않고 햄릿에게 감시의 상황을 알려줄 가능성도 크다.

어쨌거나 햄릿이 감시의 상황을 인지하고 나서 그때부터 오필리어에 대한 '잔혹연극'이 시작된다. 오필리어의 연기에 또 다른 연기로 대응을 하는 것이다. 늘 감시 속에 살아가는 햄릿은 자신의 복수 계획이 들통나지 않게 미친 척 연기를 해왔다. 독백의 순간들을 제외하고 사람들 앞에서 늘 햄릿은 연극과 연기를 해왔다. 그런데 지금 이 순간 햄릿은 그 연기 속에서 오필리어를 상대로 또 하나의 극중극을 하게 된다. 이 연극의 1차 관객은 클로디어스와 폴로니어스이고 2차 관객은 연극의 관객이다. 햄릿은 극중극 상대인 오필리어와 1차 관객인 클로디어스와 폴로니어스, 2차 관객인 연극의 관객들에게 각기 다른 메시지를 전해야 하는 다중 액션을 수행해야 한다.

그것은 오필리어도 마찬가지이다. 이 두 연인의 비극적 상황은 둘만의 사적인 공간이 아니라 이렇게 극중극을 통해서만 만날 수 있다는 데에 있다. 클로디어스가 주도하는 연극과 연기의 세계, 즉 가식과 거짓과 감시의 세계인 <햄릿>의 극세계는 인물들로 하여금 겹겹의 메타연극 속에 존재하게 하고 그에 따라 다중 행동을 하게 한다.

이와 같은 조건 속에서 햄릿이 어떤 극적 행동을 보이는가를 알아보기 위해 잔혹연극이 끝난 후에 각 인물에게 일어난 반응을 살펴보아야 한다. 햄릿이 어떠한 극적 행동을 하는가 그에 따라 어떤 신체언어를 사용하는가는 햄릿의 대사 자체보다는 인물들의 반응에 더 많은 정보가 담겨 있다.

폴로니어스

"하지만 저는 여전히 그 근심의 원인이 사랑 때문이라고 믿습니다." (강태경 94)

클로디어스

"사랑이라고? 아니요, 마음이 그쪽으로 기운 게 아니야. 하는 말도 조리는 없지만 완전히 미친 사람의 말은 아니고, 저 애의 우울증에는 뭔가가 도사리고 있어. 알을 깨고 태어나면 걷잡을 수 없는 위험이 될. 그걸 막자면 신속히 판단해야겠어. 그래, 즉각 영국으로 보내야겠소" (93)

오필리어

"아, 그토록 고결했던 정신이 이렇게 추락하다니! 왕자요 군인이요 학자였던 분, 그윽한 눈매와 정중한 언사와 출중한 무예를 갖추었던 분, 이 나라의 장밋빛 미래, 세상 사람들이 자신의 모습을 비춰보던 거울이요 예절의 표본이었던 분, 만인이 우러러보던 그분이 이렇게, 이렇게 땅에 떨어지다니. 그리고 나는, 달콤한 음악같이 사랑의 맹세를 꿀처럼 빨아 마시던 나는, 이제 온 세상에서 가장 초라하고 불쌍한 여자가 되었어. 고결했던 그분의 이성이 깨어진 종소리같이 거칠게 울리는 소리를 듣게 되다니, 한껏 피어났던 젊음의 표상이 무서운 광기의 돌풍으로 순식간에 저버린 모습을 보게 되다니. 오, 마음이 찢어지는 것 같아. 가장 아름다운 것을 보았던 이 눈으로 지금 이 모습을 보게 되다니!" (93)

먼저 햄릿은 폴로니어스를 속이는 데는 성공한 것처럼 보인다. 폴로니어스는 햄릿의 연기가 '연기'임을 알아보지 못한다. 그는 햄릿의 모든 격정과 과격한 행동들이 자신이 지시한 대로 오필리어가 햄릿을 멀리했기 때문이라는 생각에 변함이 없다. 그는 햄릿이 여전히 자신의 딸을 사랑하고 있다고 믿으며, 클로디어스 왕이 햄릿이 자신의 후계자라고 공개석상에서 공언한 이후 딸이 장차 왕비가 될 수도 있다는 희망을 버리지 못하는 것으로 보인다.

하지만 햄릿은 클로디어스를 완전히 속이지는 못한다. 실체를 숨기고 연기하면서 살아가는 클로디어스는 햄릿의 행동이 정직하다고 애초에 보지 않는다. 연기하는 자는 연기하는 자를 알아본다. 클로디어스는 햄릿의 모든 행동을 의심하고, 그 모든 의심이 완전히 해소되지 않는 이상 어떤 것도 수긍할 수 없고 따라서 안심할 수 없다. 클로디어스는 햄릿의 비정상적인 거친 언행들로부터 햄릿 안에 무언가 위태로운 것이 도사리고 있다는 것을 간파하고 그것이 장차 자신에게 큰 위험을 가져다줄 것을 안다. 그래서 햄릿을 멀리 추방하는 결정을 급하게 내린다.

오필리어의 반응으로부터 우리는 일차적으로 오필리어의 극적 행동, 즉 햄릿의 진심을 확인하고 그의 사랑을 되찾고자 했던 그녀의 행동이 실패했음을 알 수 있다. 오필리어 눈에 보이는 햄릿은 전혀 알아볼 수 없는 다른 사람이다. 한 번도 자신에게 한 적이 없는 말과 행동을 하는 햄릿을 보며, 오필리어는 온 세상이 흔들리는 경험을 한다.

오필리어는 행여 햄릿을 이런 함정에 빠뜨린 자신으로 인해서 햄릿이 그렇게 되지는 않았을까 자책한다. 오필리어의 독백을 통해서, 그리고 그녀에게 일어나는 반응을 통해서 관객은 오필리어가 얼마나 햄릿을 사랑하는지를 비로소 제대로 보고 알게 된다. 혼자 남겨진 오필리어가 여전히 햄릿에 대해 염려하고 햄릿의 타락 혹은 추락에 세상 누구보다 가슴 아파하기 때문이다. 그녀가 아파하고 슬퍼하는 만큼 역으로 그녀가 햄릿을 정말 사랑한다는 것을 알게 된다. 극에서 이 독백에서만큼 햄릿에 대한 오필리어의 사랑이 더 잘 드러나는 순간은 없다. 이 장면은 이후 햄릿의 폴로니어스 살해와 더불어 오필리어가 실성하게 되는 데 가장 큰 원인이 된다. 햄릿의 추방 이후 미친 오필리어는 무대 밖에서 행해진 죽음으로써 자신이 햄릿을 얼마나 사랑했는지를 간접적으로 증명해 보일 뿐이다.

이상의 반응들로부터 장면 안에서 햄릿이 어떤 행동들을 하고 어떠한 신체언어들을 사용하는지를 유추해서 상상할 수 있다. 왕과 폴로니어스에게는 자신이 제정신이 아님을 연기해야 한다. 미쳤기 때문에 복수 같은 것은 꿈을 꿀 수도 없다는 것을 믿게 해야 한다. 왕이 위태로움을 느낄 만큼 과격한 행동들이 뒤따라야 한다(물론 실제 연기 상황에서는 어떠한 과격한 행동도 상대배우를 실제로 아프거나 다치게 해서는 안 된다). 오필리어에게는 자신을 사랑하지 않게 해야 한다. 정을 끊어 놓아야 한다. 자신을 사랑한다는 이유로 오필리어가 이용당하는 것을 더 이상 좌시할 수 없다. 위험한 복수의 길에 사랑하는 여인을 끌어들이고 싶지도 않다. 자신을 사랑하는 오필리어를 자신을 사랑하지 않는 오필리어로 바꾸어 놓는 것, 그것이 햄릿의 주된 극적 행동이다. 오필리어의 대사들에는 오필리어가 알고 있는 햄릿의 모습이 담겨 있다. 햄릿은 정확히 그것과 정반대되는 행동을 했음을 알 수 있다.

물론 햄릿의 이런 행동들은 햄릿이 원하는 결과를 가져다주지는 못한다. 클로디어스는 햄릿을 위협적인 존재로 인식해서 즉시 추방을 결정하고, 햄릿을 향한 오필리어의 사랑은 뼈에 사무치게 깊어진다. 오필리어는 수녀원을 가거나 세상을 등지지 않는다. 인물이 행하는 극적 행동(들)이 인물이 원하는 결과를 항상 낳는 것은 아니다. 그렇다고 배우가 실패를 위해 연기해서도 안 된다. 인물은 오로지 성공을 위해 최선을 다할 뿐이다.

하지만 햄릿의 극적 행동은 여기에서 그치지 않는다. 가장 중요한 부분이 남아있다. 그것은 바로 이 잔혹한 연극을 통해 최종 관객인 연극의 관객들이 무엇을 보고 알게 되는가와 관련이 있다. 관객이 극 중 다른 인물들이 보이는 반응 정도로만 햄릿을 보고 이해하게 된다면, 햄릿을 연기한 배우는 이 장면의 극적 행동을 완전히 수행한 것이 아니다.

연극의 관객들은 햄릿의 잔혹연극을 통해서 역설적으로 햄릿이 오필리어를 얼마나 사랑하는지를 알게 되어야 한다. 햄릿이 하는 행동은 어느 것도 직접적으로 오필리어에 대한 사랑을 표현하지 않는다. 사랑의 표현을 전혀 하지 않지만, 관객은 햄릿의 사랑을 알아야 하고, 사랑을 이런 식으로밖에 표현하지 못하는 그의 고통을 이해해야 한다.

오필리어를 향한 햄릿의 행동은 오늘날의 관점에서 보면 매우 문제가 많고 지탄받아 마땅한 행동이다. 여성비하적인 언행은 특히나 문제의 소지가 많다. 하지만 햄릿은 그 모든 비난에도 불구하고 오필리어를 자신에게서 떼어놓으려고 한다. 그것이 오필리어를 위하는 길이라고 본인은 어리석게도 믿고 있는 것이다. 꼭 그런 식이어야 했느냐는 비난의 여지가 많지만, 햄릿 입장에서는 자기 나름대로 오필리어를 사랑하기에 오필리어를 자신에게서 멀어지게 하려고 하는 것이다. 햄릿의 사랑을 관객이 보고 알지 못한다면, 그리고 배우가 그 임무를 다하지 못한다면, 이 장면 이후로 관객은 햄릿이라는 주인공에 대해 마음이 멀어진 상태로 극을 보게 될 것이다. 그렇다면 햄릿의 처절한 연기는 관객의 비난과 냉소의 대상이 될 뿐이다.

5 ■ 시선 · 동선과 배우적 상상

    살아있는 인물을 연기함에 있어서 가장 중요한 것은 시선이다. 화룡 점정(畵龍點睛)이라는 고전적 표현에서 알 수 있듯이, 눈이 살아있어야 살아있는 인물이 된다. 극적 시공간 속에서 인물이 무언가를, 누군가를 보지 않는 순간은 없다. 보는 것이 중단되는 순간, 눈이 살아있지 않은 순간 인물은 죽은 것이 된다. 스타니슬라프스키는 "예술이란 음악, 목소리, 움직임 등 그 무엇을 사용하든 간에 끊어지지 않는 선이 만들어지는 순간부터 시작되는 것이다. 만약 단절된 소리와 외침만 있고, 단절된 선과 점만 있고, 단절된 움직임과 경련만 있다면 음악도 성악도 회화도 무용도 건축도 조각도 그리고 마지막으로 연극도 성립할 수 없다"(『성격구축』 78)고 하였는데, 배우에게 시선이 바로 끊어지지 않는 선이다. 호흡이 멈추지 않는 것처럼, 심장박동이 멈추지 않는 것처럼 인물의 시선이 끊어지지 않을 때 연극은 성립한다.

    무대 위 배우의 몸은 머리끝에서 발끝까지 끊임없이 시시각각 변화하는 인물과 공간과의 관계를 보여주는데, 특히 배우의 시선에 의해서 인물과 극적 세계와 극적 공간이 연결되고, 인물과 다른 인물들이 이어지고 관계를 형성하게 된다. "시선은 보기만 하는 것이 아니라 사물을 감지하며 느껴 수용하는 것이고, 몸은 주어진 존재가 아니라 시선을 통해 자극되며 끊임없이 형성되는 과정에 놓여 있다"(남상식 98).

    문제는 대본에 인물이 매 순간순간 무엇을 보는지 적혀 있지 않다는 점이다. 극작가는 몇몇 특별한 순간을 제외하고 인물의 시선이 어디로 향하고 있는지 밝히지 않는다. 그러다 보니 배우들이 시선에 대해서 신경을 쓰지 않거나 미숙한 경우가 많다. 인물들은 시시각각 보는 것에 따라서 시선이 달라지고 시선에 따라서 보고 생각하는 것이 달라진다.

　기술적으로만 본다면, 배우는 인물이 상대 인물을 보고 있는 순간을 제외하고는 객석 중앙이나 카메라에 눈이 보이게끔 연기해야 한다. 상대 인물에게 자신의 눈을 보여주지 못하는 순간에도, 관객은 인물의 눈을 볼 수 있어야 하기 때문이다. 의외로 배우들이 이 부분에 대해 혼동하는 경우가 많은데, 연기라는 것이 근본적으로 관객에게 보이기 위해 한다는 것을 망각한 결과이다. 관객에게 보일 때만 관객이 이해할 수 있다. 자신의 눈을 관객과 카메라에게 숨긴다면, 관객은 인물을 이해할 수 없다. 흔히 감정연기에 미숙한 배우들은 자신이 거짓으로 연기하고 있다는 자의식에 시선을 관객이나 카메라에게 숨기는 성향이 있다. 즉, 지나치게 아래나 위, 옆을 보거나 고개나 허리를 숙이고 손으로 눈을 가리는 등의 행동을 한다.

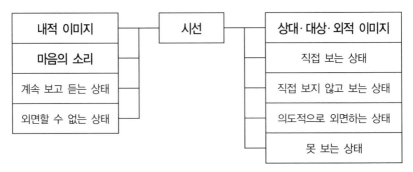

표 6. 시선을 통한 연결

　인물이 상대인물에게서 시선을 돌리는 경우는 크게 두 가지이다. 첫째, 상대인물에게 자신의 진실이나 속마음이 자신의 눈을 통해서 상대에게 전해지기를 바라지 않는 경우이다. 둘째, 인물이 자신의 내면에 떠오르는 이미지를 보는 순간, 즉, 어떤 생각이나 기억 혹은 상상에 사로잡힐 때이다. 인물이 자신만의 생각과 상상을 할수록 관객에게는 배우의 두 눈이 더 잘 보여야 하는 것이다. 그러기 위해서는 배우는 관객과 카메라가 있는 방향에 자신의 생각과 상상의 그림판을 설정하여야 한다.

상대를 바라볼 때에는, 눈은 곧 인물의 영혼이자 마음이기 때문에, 마음 상태에 따라서 인물은 다양한 시선으로 상대를 바라보게 된다. <갈매기>에서 배우는 극의 주제에 부합하게 사랑하는 사람에게서 눈을 뗄 수 없는 시선을 기본적으로 사용하여야 한다.

5.1. 사랑의 시선 vs 외면의 시선

사랑을 하는 <갈매기>의 인물들은 사랑하는 이를 항상 바라본다. 지켜본다. 마음이 향하는 곳으로 눈이 가고, 눈이 가는 곳으로 마음과 몸이 간다. 그런데, 자신이 사랑하는 이를 바라보았을 때, 인물의 눈에 보이는 것은 사랑하는 이가 다른 이를 바라보고 있는 모습이다. 사랑하는 사람은 나를 바라보고 있지 않다. 그 모습이 인물에게 더할 나위 없이 고통을 준다. 미칠 것 같은 질투심도 유발한다. 이와 같은 시선은 사랑이 멈추지 않는 것처럼 절대 변하지 않는 시선이다. 4막에서 니나는 벽과 문 너머에 있는 뜨리고린을 향한 변치 않는 사랑의 시선을 보인다. 참다못한 니나는 자그마한 열쇠구멍으로 뜨리고린의 모습을 보려고 안간힘을 쓰기도 한다. 이와 같은 시선의 움직임은 대본에 명시되어 있지 않지만, **작품 전체에 걸쳐서 계속해서 일어나는 움직임**이다.

사랑하는 사람을 향한 인물의 시선은 그 시선을 받는 자의 입장에서 볼 때는 역으로 큰 고통의 원인이 된다. 뜨레쁠레프가 마샤에게 역정을 내는 것도 마샤가 항상 자기 자신을 바라보고 있다는 것을 알고 의식하기 때문이다. 부담스럽기 그지없는 시선인 것이다. 특히나, 니나가 자신과는 이야기하지도 않고 집으로 돌아가 버린 상황에서 자신을 계속 쫓아다니는 마샤의 시선은 뜨레쁠레프에게는 치가 떨리도록 싫은 것이 된다. 변심한 니나에게 자신을 향한 뜨레쁠레프의 변치 않는 시선도 마찬가지로 부담이다. 뜨레쁠레프의 시선은 4막에서는 니나에게 죄의식까지 느끼게 한다. 안락의자로 문을 막아놓자 니나는 뜨레쁠레프에게 "얼굴 좀 보여 주세요" (179)라고 말한다. 2년이 넘는 시간 동안 서로를 가까운 거리에서 바라보지 못한 두 사람은 비로소 서로의 얼굴을 보게 된다. 하지만 니나는 이내 주위를 둘러보며 "따뜻하고, 좋아요. . . 여긴 전에 거실이었죠?"(179)라며 시선과 화제를 돌려버린다. 왜냐하면 자신을 바라보는 뜨레쁠레프의 시선에서 자신을 향한 변하지 않는 사랑이 보였기 때문이며, 자신의 망가진 모습을 보고 마음 아파하는 눈빛이 보였기 때문이다. 화제를 돌렸음에도 불구하고 자신을 향하는 시선을 의식한 니나가 "저 많이 변했죠?"라고 묻자 뜨레쁠레프는 "좀 마르고 눈이 더 커졌어요"(179)라는 식으로 거짓말을 한다. 너무나 예뻤던 니나가 2년 만에 사랑의 파탄과 아이의 죽음, 그리고 연기인생의 실패 등으로 인해 완전히 파괴된 모습으로 자신의 눈앞에 서 있다는 것이 믿기지 않는 뜨레쁠레프이지만, 사랑하는 여인에게 자신이 본 그대로 이야기할 수는 없는 노릇이다. 어떻게든 좋게 봐주어야 하고 니나에게 용기와 힘을 주어야 한다. 이런 모습들에서 뜨레쁠레프의 성숙해진 모습을 엿볼 수 있다.

외면의 시선은 기본적으로 사랑의 시선이 향하는 대상이 그 시선을 느끼고 부담스러워할 때, 혹은 진실을 부정하고 싶을 때 생겨나는 시선이다. 1막에 등장한 니나는 뜨레쁠레프의 시선을 의도적으로 피하고 외면한다. 그리고 키스하려는 뜨레쁠레프의 시선을 다른 곳으로 돌리기 위해 부단히 노력한다. 심지어 뜨레쁠레프가 사랑한다고 고백하는 순간에도 "쉿. . ."(117) 하면서 다른 곳으로 시선을 돌린다.

인물이 사랑하는 사람을 직접 보지 않고 간접적으로 보고 있는 경우도 있는데, 이런 시선은 외면의 시선 같지만, 느낌은 사뭇 다르다. 직접보지 않을수록 훨씬 더 강력한 보기가 된다. 왜냐하면 이런 경우에는 상대를 눈으로만 보는 것이 아니라 온 감각을 동원해서 온몸으로 보고 있는상태가 되기 때문이다.

5.2. 유혹의 시선 vs 욕망의 시선

1막 극중극이 끝나고 나서 니나가 뜨리고린을 처음 만났을 때, 그리고 2막에서 다시 뜨리고린을 만났을 때에는 은근하지만 분명한 관심과 선망과 유혹의 시선이 필요하다.

뜨리고린이 니나를 바라볼 때는 욕망의 시선과 상상이 필요하다. 뜨리고린이 죽어있는 갈매기를 보고 이야기가 떠오른 것은 순전한 작가적영감의 순간이 아니라, 자신이 니나와 함께 하는 동안 니나를 향해 했던생각들이 하얗게 피 흘리며 죽어있는 갈매기와 결합하면서 '처녀성의 파괴'라는 선명한 이미지가 떠올랐기 때문이다.

5.3. 경계의 시선 vs 관조 · 회한의 시선

<갈매기>에는 경계 · 원망 · 적대 · 경멸의 시선도 있다. 그와 같은 시선은 사랑하는 사람이 자신을 사랑하지 않는 것이 다른 사람 때문이라고

생각할 때 그 연적을 향해서 가지는 시선이다. 2막에서 뜨리고린이 등장할 때, 뜨레쁠레프가 그에게 보내는 시선이나(뜨리고린은 뜨레쁠레프를 보고 있지 않지만) 4막에서 뜨레쁠레프가 뜨리고린을 마주하게 될 때 보내는 시선이다. 뜨레쁠레프와 아르까지나가 3막에서 서로 싸울 때의 시선이기도 하다. 2막에서 니나가 등장했을 때, 아르까지나와 니나 사이에 오가는 시선은 경계의 시선이자, 눈싸움, 기싸움의 시선이다. 2막에서 니나가 들어왔을 때 마샤는 거의 니나에게서 눈을 떼지 않고 그녀를 쏘아본다. 니나는 마샤의 적대적 시선을 느끼지만 개의치 않는다.

도른의 시선은 거의 삶을 관조하는 입장에서 나오는 시선이다. 이와 같은 시선은 소린에게서도 보이긴 하나, 소린에게는 걱정과 불안의 시선, 회한의 시선이 더 강하다. 기존의 삶을 지탱하던 모든 기반들이 붕괴될 것 같은 불안과 삶이 끝을 향해 치닫고 있는 상황에서 미처 이루지 못한 것들에 대한 깊은 후회에서 비롯되는 시선이다.

5.4. 처음 눈이 마주친 순간

극에서 두 인물이 처음 눈이 마주친 순간은 대개 극에서 가장 중요한 순간이 된다. 앞서 니나와 뜨레쁠레프가 2년 만에 재회했을 때 다시 눈이 마주친 경우가 그러했지만, 말할 필요도 없이, 로미오와 줄리엣이 서로를 처음 보는 순간이 대표적이다. 두 주요 인물이 서로를 처음 바라본 순간은 두 인물의 삶을 완전히 바꾸어 놓을 순간이 되고, 그만큼 서로에게 엄청난 영향을 주는 순간이지만, 의외로 작가들은 자신의 희곡 안에서 그 순간들을 강조하지 않거나 언급조차 하지 않는 경우가 많다.

<갈매기>에서도 언제 니나와 뜨리고린이 처음 눈을 마주치는지가 명

확하게 제시되어 있지 않다. 극중극이 끝나고 아르까지나가 뜨리고린에게 니나를 소개할 때인 것처럼 보이지만, 극중극 도중에 눈이 마주쳤을 가능성이 크다. 그렇지 않다면 뜨레쁠레프가 연극을 중단할 이유가 없어 보인다. 애초에 엄마가 싫어하고 반대할 연극을 무대에 올렸기 때문에 아르까지나의 반응은 이미 뜨레쁠레프가 예상했던 그대로이다. 그것 때문에 연극을 중단할 이유가 하나도 없다.

1막 극중극 니나의 대사들에는 사이를 나타내는 말줄임표들이 잔뜩 있다. 그 말줄임표는 원래 뜨레쁠레프가 쓴 대본에 있는 말줄임표일 수도 있지만, 니나가 대사를 잊거나 대사를 잇지 못하는 순간을 나타낼 수도 있다. 극중극 공연 도중 니나는 관객에게서 한 낯선 남자를 본다. 다른 관객들은 다 누구인지 알고 있다. 그중에 처음 보는 남자가 앉아 있다. 그가 바로 그녀가 그토록 만나보고 싶었던 대작가 뜨리고린일 것임을 니나는 한눈에 직감한다. 그 옆에는 아르까지나가 앉아있다. 객석에서 제일 좋은 자리를 차지하고 있는 두 사람이 앉아있는 자세에서 두 사람의 관계가 느껴져 온다. 아르까지나가 뜨리고린을 바라보는 니나의 시선을 눈치챘다면, 그리고 니나를 향한 뜨리고린의 시선을 의식한다면, 아르까지나는 뜨리고린과 더더욱 연인인 티를 내면서 앉아있게 될 것이다.

극중극 자체는 난해해서 알기 힘들지만, 극중극을 보는 관객들의 반응으로부터 니나의 공연이 어떤 식이든 도발적일 수 있다는 것을 읽어낼 수 있다. 남자 관객들은 숨죽인 채 조용한데 아르까지나와 뽈리나 두 여자 관객들이 소란을 떤다는 사실이 그런 상황을 반증한다고 할 수 있다. 늙은 소린마저 니나와 사랑에 빠졌었다고 4막에서 농담 반 진담 반으로 고백하는 것에서도 니나의 도발적 연기를 상상해 볼 수 있다.

객석의 소란을 니나의 연기 미숙 탓인 것으로 해석하기도 하지만, 연기 미숙은 매우 상대적인 개념이다. 뛰어난 배우가 연기가 미숙할 때와 재능이 없는 배우가 미숙할 때의 연기는 천지 차이다. 극의 여자주인공인 인물을 약화시키는 해석은 극 자체를 약화시킬 위험을 안고 있다.

어쨌든 1막 극중극에서 니나의 연기는 연기를 잘하고 못하고의 문제라기보다는, 어떤 식이든 뜨레쁠레프의 연출적 의도를 벗어난 연기일 확률이 크다. 뜨레쁠레프는 니나가 자신의 연출대로 연기하지 않는 것에 좌절하고 화를 내게 되는 것이다. 그리고 무엇보다 뜨리고린을 향한 니나의 시선을 보게 되는 순간 질투와 분노가 들끓게 되고 극중극을 중단하게 되는 것이다. 니나 입장에서는 뜨리고린 앞에서 연기하고 있는 공연을 뜨레쁠레프가 그렇게 무단으로 중단시킨 것을 용서할 수가 없다. 그래서 니나는 뜨레쁠레프가 퇴장하기 전까지 극중극 무대 뒤에서 나오지 않으며, 뜨레쁠레프가 다시 돌아오기 전에 서둘러 그곳을 떠난다.

배우는 자신이 연기하는 인물이 상대인물과 처음 눈이 마주치는 순간 어떠한 일이 정말로 일어나는지, 상대의 눈빛으로부터 무엇을 보고 느꼈는지를 상상할 수 있어야 한다. 관객들은 두 인물이 눈을 마주하는 순간을 선명하게 보아야 한다. 다음은 이강백 작 <동지섣달 꽃 본 듯이>에서 정승딸이 친오빠 대신 중국에 인질로 가게 된 첫째에게 감정을 드러내지 않는 법을 가르치는 장면이다.

정승딸

평민이나 상놈은 감출 필요 없죠 괴로울 땐 실컷 울고 기쁠 땐 맘껏 웃을 수가 있어요 하지만 양반은 달라요 더구나 정승 집안의 자제쯤 되면 감정을 나타내선 안 돼요 오라버님, 오늘은 무표정한 얼굴 공부를 하세요

맏형

(한숨을 푹 쉬며) 무표정한 얼굴. . .

정승딸

공부가 힘드시나요?

맏형

네, 지루하고 힘겹습니다.

정승딸

오라버님, 또 존댓말!

맏형

(다리를 뻗고 눕는다) 아. . . 지루하고 힘겹다.

정승딸

단정하게 앉으세요

맏형

으 으으, 으음. . .

정승딸

양반이 그렇게 앉던가요?

(맏형, 가부좌 자세로 고쳐 앉는다.)

허리를 구부정하게 숙이지 마시고 꼿꼿하게 세우세요

맏형

허리를 꼿꼿하게. . .

정승딸

똑바로 저를 보세요

맏형

똑바로. . .

정승딸

표정 없는 제 얼굴을 잘 보고 배우세요

(정승딸, 감정이 전혀 나타나지 않는 무표정한 얼굴을 보여준다.
맏형은 그 얼굴을 흉내 내려 애쓰지만 잘 되지 않는다)

정승딸

아직도 오라버님 얼굴에 괴로움이 있어요.

만형

이제는. . .?

정승딸

감정을 꾹꾹 눌러서 감추세요.

만형

아. . . 이제는?

> (정승딸, 무표정한 얼굴로서 대꾸하지 않는다. 만형은 그녀의
> 무표정에 압도당하여 더 이상 묻지 못한다. 만형과 정승딸은 잠
> 시 동안 서로의 얼굴을 바라보고 있다)

정승딸

오라버님!

만형

(엉겁결에 존댓말로서) 네, 왜 그러십니까?

정승딸

무표정! 무표정! 무표정!

만형

난 무표정했다만. . .

정승딸

얼굴에 괴로움은 감춰졌어요. 하지만 또 다른 감정이 나타났군요!

만형

(고개를 떨구며) 아가씨. . . 아가씨는 어여쁘십니다.

정승딸

(꾸짖는 음성으로) 오라버님!

맏형

그래. . . 보면 볼수록. . . 너는 어여쁘구나.

정승딸

체통을 지키세요, 정승의 자제답게!

(맏형, 고개를 들지 못한 채 침묵한다) (242-44)

모든 감정을 숨기고 무표정한 얼굴을 연습하고 있는 두 사람이 서로의 눈을 바라보고 있는 순간, 다른 것은 감춰질지 모르나 서로의 눈빛은 감춰지지 않는다. 정승딸은 첫째의 눈에서 자신을 좋아하는 혹은 여자로 보는 눈빛을 발견하게 된다. 그 눈빛을 본 정승딸이나 그 눈빛을 들킨 첫째에게나 매우 당혹스러운 순간이 된다. 하지만 이들의 눈빛 교환은 당혹스러움을 넘어 서로에 대한 흠모로 발전해 나간다. 작품이 두 사람의 사랑을 확연하게 드러나게 극화하고 있지는 않지만, 눈이 마주친 이 순간과 그사이에 오간 사랑은 첫째로 하여금 중국에서 살아남아 결국 돌아오게 하는 힘이 되고, 자신의 의도와는 다르게 정승에 대한 복수가 정승딸의 목숨까지 앗아가게 했을 때 고통으로 절규하게 하는 원인이 되며, 어머니를 꼭 닮은 여자를 찾아서 고향으로 돌아올 때 어머니의 모습을 하고 있는 '한 여자'라는 인물이 사실은 정승딸을 흡사 닮은 여자일 가능성을 농후하게 한다. 이처럼 두 인물의 눈이 서로를 바라보는 순간은 순간으로 끝나는 것이 아니라 이후의 모든 극적 순간에서 인물을 움직이는 힘이 되며 모든 것을 바꾸어 놓게 된다.

이외에도 다양한 시선들이 존재한다. 인물이 살아있다는 것은 눈이 살아있고 시선이 멈추지 않는다는 것을 의미하며, 그 시선들이 마음의 움직임과 더불어 항상 변화한다는 것이다. 인물의 눈과 시선은 그 자체로도 중요하지만, 인물의 모든 동선과 몸의 움직임을 위해 더욱 중요한 것이 된다. 보지 않으면 움직일 수 없다. 동선은 연출적인 도구인 것처럼 인식되고 때론 연출의 절대적 권한인 것처럼 여겨지기도 하지만, 배우에게 등퇴장을 포함한 인물의 동선은 시선과 불가분의 관계에 있다. 인물의 모든 말과 행동, 그리고 움직임은 인물의 시선으로부터 비롯된다. 배우는 자신이 연기하는 인물의 동선이 연출이 구현하고자 하는 구도와 부합할 수 있도록 협력하면서 인물을 살아 움직이게 하여야 한다.

5.5. 공간 속 인물의 등퇴장 및 동선

인물의 눈과 귀를 포함한 모든 감각은 몸 밖을 향해 활짝 열려 있고, 한순간도 멈추지 않고 앞에서 이야기한 세 가지 관계를 예민하게 보고 듣고 느끼고 있다. 이와 같은 상태가 스타니슬라프스키가 강조한 집중된 상태와 '끊어지지 않는 선'이 존재하는 상태이며, 조셉 체이큰의 '현존'의 상태, 피터 브룩이 말한 '보이지 않는 네트워크'가 연결된 상태, 그로토프스키가 말하는 '총체적 연기'를 가능하게 하는 상태, 샌포드 마이즈너가 역점을 둔 '반응'하는 상태이다. 이 상태가 끊어지면 인물의 생명도 끊어지게 되고 장면도 멈추게 된다. 시선과 동선도 세 가지 관계와 연결된 상태에서 비롯되며 시시각각 변화한다.

관객은 배우의 몸을 통해서만 인물의 심리와 정서를 알 수 있다. 배우가 몸으로 구현하는 시선, 각도, 높낮이, 정지와 움직임, 속도, 침묵과 소리 등의 변화를 통해서만 관객은 극을 경험하고 극을 알 수 있게 된다. 몸의 변화와 차이로 구현되지 않는 모든 연기적 상상은 관객에게 결코 보일 수 없다. 희곡에 나타난 혹은 내재된 "인물의 신체적 행위 일체를 주제적 측면, 곧 그들의 정서적 관계와 극의 갈등 구조 속에서 파악하고, 이

것이 관객의 지각에 가 닿는 외적 형태로 구체화'(강태경 『연출적』 118)하는 것은 연출적 작업인 이상으로 배우의 본업이다.

　"극작가가 제시하는 신체 행위들 가운데에서 가장 규모가 크고 따라서 관객의 주의를 쉽사리 끄는 것은, 무대상의 한 위치로부터 다른 위치로 옮겨가는 인물들의 선적인 움직임, 곧 무대 동선(stage movement)이다'(강태경 『연출적』 132). 동선은 시선과 불가분의 관계에 있으며 "인물들의 심리적 움직임의 직접적인 외화'로서 "동선의 전개는 변화하는 내적 관계의 기본적 틀을 명시적으로 보여주게 된다'(강태경 『연출적』 117).

　연출이 극적 미장센을 위해, 인물들의 몸의 관계를 더 명시적으로 형상화하기 위해 배우들에게 요구하는 동선이 있긴 하지만, 배우는 연출로부터 주어지는 모든 동선 혹은 움직임과 관련된 요구들을 인물의 내적 동기와 연결하여 상상하고 구현할 수 있어야 한다. 인물이 무대에서 보이는 모든 움직임은 단순 동작이 아니라 "내면의 일관된 하나의 심리적 추이"(강태경 『연출적』 135)이기 때문에, 배우가 인물의 관점에서 모든 움직임들을 구현하지 못한다면 관객은 인물의 심리적인 추이를 놓치게 된다. 그렇게 되면, 배우가 연기하는 인물은 의도와 다르게 관객에게 모호해진다. 그것은 인물의 복잡함과는 다른 문제이다. 표현이 명징하지 않아서 발생하는 연기적 문제인 것이다.

　인물의 동선 중에서 가장 크고 눈에 띄는 동선이 인물의 등퇴장이다. 등퇴장에 대해 배우들은 특별한 상상을 하지 않고 기능적으로만 간주하는 성향이 있는데, 등퇴장은 그 자체로 큰 연기적 의미를 가지고 있다. 등장은 '만남'이다. 공간과의 만남이든, 상대인물과의 만남이든, 진정한 만남의 시작이 등장에서부터 이루어진다. 만남을 통해 인물의 지각과 인식이 이루어지고 행동이 유발되고 갈등이 발생 혹은 증폭하고 관계의 변화를

사진 4. 블루바이씨클프러덕션 제작. 〈스탑 키스〉(2015). 김준삼 연출. 아름다운극장. 배우 전윤지 故 김미정.

위한 시도와 노력이 이루어지게 된다. 그리고 이 모든 것은 등장할 때 인물의 상태에 의해서 좌지우지된다. 퇴장은 '헤어짐'이다. 잃어버릴 수 없는 것을 잃게 되고, 헤어질 수 없는 사람과 헤어지게 되는 것이 극이다. 불가피한 헤어짐과 기능적인 인물의 기능적인 퇴장이 있기는 하지만, 주요 인물의 헤어짐은 치열한 갈등 속에서 인물의 판단과 선택에 의해 이루어지는 극적 행동인 것이다. 2막에서 뜨리고린이 멀리 나타났을 때, 뜨레쁠레프는 갈등하게 된다. 손에 쥐고 있는 총으로 뜨리고린에게 결투를 요청할지, 아니면 그냥 쏴죽일지 고민되는 순간이다. 하지만 뜨리고린을 바라보는 니나의 눈빛, 그리고 자리를 비켜달라는 니나의 무언의 신호는 뜨레쁠레프를 극심한 갈등에 놓이게 한다. 뜨리고린을 향해 움직이려는 혹은 적대적 행동을 하려는 뜨레쁠레프를 니나는 무슨 수를 써서라도 저지할 기세이다. "방해하진 않겠습니다"(140)라는 뜨레쁠레프의 말은 고통스러운 고민 끝에 내린 결단이다. 샤므라예프에게 모욕을 받은 아르까지나가 퇴장하는 것도 단순히 화가 나서 하는 행동이 아니라, 니나 앞에서 더 이상 자신이 초라해지는 모습을 보이지 않으려는 그녀의 치밀한 선택의 움직임이다. 그와 같은 극적 상황과 인물의 갈등을 상상하지 못하는 배우의 퇴장은 아무런 극적 의미도 전해주지 못한다.

인물이 무대에 혼자 남게 되는 상황들 역시 인물의 적극적인 행동의 결과로 바라보아야 한다. <햄릿>의 극세계는 햄릿을 무대에 혼자 내버려 두지 않는 세계이다. 어딘가에 감시의 눈길이 항상 도사리고 있다. 그 와 중에 햄릿이 성취하는 혼자만의 시간은 햄릿이라는 인물이 필사적으로 성 취하려는 노력의 결과이다. <햄릿>의 2막 2장은 작품 안에서 유독 긴 장 면이다. 장면 끝에 독백이 시작되기 전에 햄릿이 "이제야 혼자다"(강태경 83)라고 할 때, 혼자만의 순간은 절대 우연히 찾아온 순간이 아니다. 햄릿 의 이 짧은 대사 한 마디는 <햄릿>의 세계가 얼마나 햄릿을 혼자 내버려 두지 않고 감시하는 세계인지를 말해준다.

2막에서 뜨레쁠레프가 등장하기 전 니나가 무대에 혼자 남아 있는 것도, 4막에 니나가 등장하기 전 뜨레쁠레프가 무대에 혼자 남아있는 것 도 인물의 적극적인 모색과 선택의 결과이다. 만약 자신이 모색하지 않았 는데도 혼자 남게 될 경우, 인물은 다른 인물이 들어오기 전에 그 시간을 적극 활용하게 된다. 인물이 무대에 혼자 있는 경우 그 시간은 가장 '사 적인 순간'(private moment)이 된다. 다른 인물이 전혀 없는 상황에서 인 물은 다른 사람들 앞에서는 드러낼 수 없었던 자신만의 생각과 느낌과 감 정을 드러내게 된다. 관객의 시선이 머리끝에서 발끝까지 배우의 온몸에 집중되는 시간이다. 그래서 배우들은 독백의 순간에 가장 큰 중압감을 느 낀다. 모든 관객의 시선을 상대로 가장 사적인 생각과 행동을 해야 하는 순간이기 때문이다. 사적이지 않다면 혼자만의 시간에 인물이 하는 언행은 진실하지 않다.

인물은 무(無)의 상태에서 등장하지 않는다. 등퇴장은 항상 인물이 어디에서 와서, 어디로 가고자 하고, 왜 지금 여기에 머물러 있는지를 말해준다. 배우는 상상을 통해 등장할 때 이미 인물의 상태에 도달해 있어야 한다. 그 상태에서 장면을 거치면서 처음 등장했을 때의 상태에 변화가 일어나게 함으로써 인물의 변화를 구현해야 한다. <갈매기>같이 말과 말, 장면과 장면, 막과 막 사이에 많은 일들이 일어나는 극에서 배우의 인물로서 등장은 매우 중요하다. 등장만으로 시간의 경과와 인물의 변화를 나타내어야 하기 때문이다. 각 막별로 뜨레쁠레프와 니나가 첫 등장할 때의 모습은 전 막에서의 모습과 많이 다르다. 특히 3막과 4막 사이에는 긴 시간만큼이나 많은 변화가 있다. 4막에서 모든 인물들은 급격하게 늙고 쇠약한 모습을 보여준다. 시간의 간극은 대본을 읽는 배우로 하여금 시간의 흐름에 따라 변한 것과 그럼에도 불구하고 변하지 않은 것들을 대조적으로 읽어내고 상상할 것을 요구한다.

대개 한 인물의 등장은 다른 인물들에게 큰 영향을 주며 큰 반응을 낳는다. 극중극에서 처음 니나가 등장했을 때, 그녀의 등장은 뜨리고린과 아르까지나를 포함해서 극 전체의 인물들에게 큰 영향을 준다. 대본에 명시되어 있지는 않지만, 극중극 무대에 등장한 니나의 모습에 다른 인물들이 영향을 받지 못한다면 극중극의 의미와 효과는 떨어지게 된다. 니나의 연기가 미숙해서 극중극에서 다른 인물들에게 연기로 어필할 수 없다고 해석한다면, 다른 것으로라도 어필해야 한다. 1막과 4막에서 니나가 등장하기 전과 등장한 후의 뜨레쁠레프의 모습은 하늘과 땅만큼 차이가 난다. 니나가 함께 하는 동안 뜨레쁠레프는 비할 데 없이 생기가 돌지만, 니나가 없을 때의 그는 너무나 우울하고 불안정하다. 1막과 2막 사이에 니나가 그를 만나주지 않았을 때 뜨레쁠레프는 밥도 못 먹고 잠도 못 자고 아무것도 할 수 없는 상태에 빠져버린다. 심각한 불면과 두통이 그를 괴롭힌다. 그 대조적인 모습에서 관객은 뜨레쁠레프가 니나를 얼마나 좋아하는지를 알게 되는 것이다.

<갈매기>에서 인물의 전반적인 등퇴장은 '**날고 싶지만 날아가지 못하고 호수 주변을 맴도는 갈매기**'라는 극의 중심 이미지를 그대로 구현하고 있다. 인물들은 끊임없이 자신이 사랑하는 사람의 주변을 맴돈다. 사랑하는 사람을 향하는 시선이 그들을 이끌고 몸을 움직이게 한다. 마음이 향하는 곳으로 몸이 움직인다. 마샤의 마음은 늘 뜨레쁠레프에게로 향하고 있다. 그녀를 무시하는 뜨레쁠레프 곁에 있어도 곁에 있는 것이 아닌 마샤에게 뜨레쁠레프는 사무치는 그리움의 대상이다. 메드베젠꼬도 자신을 받아들여 주지 않는 마샤의 주위를 끊임없이 맴돌며 사랑을 구하고 있지만, 마샤의 마음과 몸은 뜨레쁠레프를 향하고 있다. 이와 같은 움직임은 무대 위의 움직임으로 그대로 구현되겠지만, <갈매기>에서 재미있는 부분은 인물들이 무대에 등장하지 않는 시간들에도 이와 같은 움직임이 끊임없이 일어난다는 점이다. 니나가 모스크바로 떠난 후 계속 니나를 쫓으며 그녀 주변을 맴도는 뜨레쁠레프가 그러하다. 4막에서 니나가 등장하기도 전에 뜨레쁠레프가 그녀가 올 것을 직감하는 것도 니나가 뜨리고린 주변을 맴돌기 때문이다. 거친 바람 속에서 떠돌고 맴돌고 있을 니나의 모습이 뜨레쁠레프에게는 너무나 쉽게 상상이 된다.

니나가 숨 가쁘게 달려와 처음 등장했을 때 소린이 "울어서 눈이 부은 것 같은데"(115)라고 말하는 것에서 질문을 던져봐야 하는 것은 니나가 '무엇 때문에 울었나'이다. 단순히 공연을 할 수 없을 것 같아서가 아니라 뜨리고린을 만날 수 없고 뜨린고린 앞에서 자신을 보여줄 기회를 잃

을 것 같아 운 것이다. 절대 놓칠 수 없는 기회이다. 어떻게든 공연을 할 수 있을 것이라는 희망에 전력을 다해 극중극 무대가 있는 곳으로 달려온 것이다. 첫 등장에서 니나는 온통 뜨리고린 생각뿐이다. 뜨레쁠레프는 그것을 알지 못한다. 니나가 운 것도 알아차리지 못한다. 뜨레쁠레프가 "난 당신을 사랑해요"(116)라고 말할 때, 니나가 "쉿. . ."(117) 하고 딴짓을 하는 것은 결코 우연이 아니다. 니나가 첫 등장했을 때, 니나와 뜨레쁠레프의 관계는 더 이상 예전의 관계가 아닌 것이다. 그녀를 움직이는 존재가 뜨레쁠레프에서 뜨리고린으로 바뀐 것이다.

2막에서 아르까지나가 샤므라예프와 싸운 후 모욕을 참지 못해 집 안으로 들어가고 때마침 지문은 "그녀 뒤에 낚싯대와 통을 든 뜨리고린이 간다"(137)고 명시되어 있다. 다른 인물들은 뜨리고린이 들어가는 것을 눈치채지 못한 듯 보이지만, 니나는 놓치지 않는다. 사랑하는 사람의 미세한 흔적조차도 놓치지 않는 것이 <갈매기>의 인물들이다. 니나가 걸어서 가려는 소린을 말려 휠체어에 앉힌 다음 자신이 데리고 들어가겠다고 하는 것은 바로 뜨리고린을 보고 싶어 하기 때문이다. 뜨리고린이 들어가는 것을 보았고 때마침 소린 덕분에 집 안으로 들어갈 구실이 생긴 것이다. 니나는 집 안으로 들어가서 뜨리고린이 잉어 두 마리를 잡았다고 좋아하는 모습을 보고 나온다. 니나는 어떤 식으로든 자신이 집 밖으로 나간다는 것을 뜨리고린이 알 수 있게 신호를 보내고 나온다. 그리고 뜨리고린이 그 신호를 포착하고 그녀를 만나러 나올지 혼자서 설레며 기다리고 있다. 기다리는 와중에 니나는 유명한 사람들도 다른 보통사람들과 마찬가지라고 생각하게 된다. 즉, 뜨리고린도 자신이 접근할 수 있는 대상으로 이미지가 바뀐다. 아르까지나는 넘을 수 없는 벽이나 숭배의 대상으로서의 이미지에서 자신과 다름없는 평범한 여자라는 이미지로 바뀐다. 이와 같은 이미지 변화를 통해 니나는 연적인 아르까지나와의 싸움에서 충분히 승산이 있다고 간주하게 된다. 니나의 속마음이 사적인 순간에 드러나는 것이다.

이와 같이 등퇴장을 포함한 인물의 움직임은 시선과 상상으로부터 비롯되는 것이다. 연출이 연출적 미학과 미장센을 위해 지정하는 움직임(블라킹)이 있긴 하지만, 배우는 1) **마음이 가는 데로 몸이 간다.** 2) **몸의 거리는 마음의 거리**라는 두 가지 원칙하에서 움직임을 스스로 상상할 수 있어야 한다.

6 ▪ 종합적 분석: 〈맥베스〉 2막 2장

이상에서의 논의를 이제 셰익스피어의 〈맥베스〉 2막 2장 분석에 실제로 적용해보고자 한다. 셰익스피어 연기에는 일반적인 연기의 원리와 원칙, 그리고 방법들이 그대로 적용되지만, 셰익스피어 대본이 가지는 특별함들을 먼저 이해한다면, 보다 넓고 깊은 분석이 가능해질 것이다.

셰익스피어의 대본은 오로지 인물들의 말로만 되어 있다. 학자들이 독자들의 이해를 돕기 위해 인물의 등퇴장 및 간단한 지시문을 곁들이기는 하지만, 원작에는 오로지 인물들의 말만 적혀 있다. 이와 같은 점은 배우들에게 셰익스피어 연기가 전적으로 말에 관한 것처럼 착각하게 할 위험을 안고 있다. 배우들은 그 언어적 특성들에 대한 이해를 바탕으로 셰익스피어의 대사들을 온전한 폭과 깊이, 그리고 다양한 색채를 가진 것으로 멋지고 우아하게 구사해야 함은 물론, 셰익스피어의 대사들로부터 극적 사건과 극적 행동, 그리고 자세와 몸짓과 움직임, 시선과 동선 등 신체적인 모든 것들을 읽어내고 그 역시 온전한 폭과 깊이로 연기해 내어야 한다. 언어에 대한 이해와 상상 못지않게 극 자체에 대한 이해와 신체적 상상이 수반되어야 한다.

"배우는 대본을 해석하는 예술가이다."
− 스텔라 애들러

다시 한번 강조하지만, 배우가 대본을 읽는다는 것은 작가가 상상의 문자로 기록해 놓은 암호들을 해석해서 작가가 그리고 있는 세상을 읽어 내고 그 속에서의 사람의 진짜 생각, 진짜 마음, 진짜 소리, 진짜 행동을 읽어내는 것이다. 셰익스피어의 대본에는 어떤 생각과 마음과 소리와 행동이 담겨있는지 살펴보자.

6.1. 셰익스피어 연기훈련의 목적

먼저, 셰익스피어를 통해 연기를 훈련하는 목적들을 정리하면 다음과 같다.

- 셰익스피어의 언어를 이해한다.
- 행동으로서의 언어, 반응으로서의 언어의 원리를 이해한다.
- 생각의 폭과 깊이를 소리적·신체적으로 구현함으로써 거대한 존재가 되기 위한 시도를 한다.
- 셰익스피어의 극적 세계에 대한 상상을 읽어낸다.
- 극적 세계 속에서 player로서의 인물의 역할을 이해한다.
- 인물의 영혼에 어떤 일이 일어나고 있는지를 읽어낼 수 있다.

- 관계에 따라 연기적 상상을 구체적이면서도 유연하게 달리할 수 있는 능력을 기른다.
- 극적 사건과 극적 행동을 파악하는 능력을 기른다.

셰익스피어 연기는 배우로 하여금 셰익스피어의 모든 극적 상상, 인간에 대한 상상, 언어적 상상, 정서적 상상, 신체적 상상과 마주하게 함으로써, 극에 대한 이해의 지평을 드넓게 해주며, 실제로 인물을 연기하고 연기적 요구들을 실행하면서 배우의 정신과 언어와 정서와 신체의 능력이 극대화된다. 그를 통해 셰익스피어를 연기하는 배우들은 주디 덴치나 이안 맥컬린의 경우에서 알 수 있듯이, 매우 특별한 존재감과 우아함, 그리고 범접할 수 없는 연기력을 가진 존재로 성장하게 된다.

6.2. 셰익스피어의 언어: 생각의 차이 = 소리의 차이

셰익스피어의 대사들은 여전히 인간이 하는 **말**이다. 번역 때문에, 그리고 고어적 표현 때문에 말이 아닌 것처럼 착각하기 쉽지만, 셰익스피어의 모든 대사는 여전히 인간의 말이고, 이해할 수 없는 것을 이해하고자 하는 인간적 노력의 아름다운 소산이다.

셰익스피어의 주요 인물들은 우리에게 평소에 하는 생각의 폭과 깊이, 우리가 느끼는 정서의 폭과 깊이보다 훨씬 더 넓고 깊게 생각하고 느낄 수 있기를 요구한다. 따라서 셰익스피어를 연기한다는 것은 항상 나의 전부를 가지고 온몸과 온 마음으로 연기하는 것이며, 나의 베스트인 상태에서 그런 나를 뛰어넘어서까지 생각하고 말하고 행동하는 것을 시도하는 것이다. 이와 같은 시도는 쌓이고 쌓여 배우를 큰 존재감을 가진 배우로 성장시킨다.

말은 생각으로부터 나온다. 생각한다는 것은 모르는 것을 알고자 하는, 이해할 수 없는 것을 이해하고자 하는 인간적인 고귀한 노력이다. 그래서 셰익스피어는 작품의 주요 인물의 말을 풍부하고 특별한 **비유**와 아름다운 **운율**을 가진 시적 언어로 담아낸다. **시는 고귀한 인간 영혼의 인간적이고 아름다운 노력을 반영하는 언어**인 셈이다. 잘 알려진 대로, 맥베스가 셰익스피어의 모든 비극의 주인공들 중에서 가장 아름다운 시를 구사한다는 점은 시사하는 바가 크다.

우리말로 번역하는 과정에서 셰익스피어의 원어가 가지는 운율은 사라진다. 영어와 우리말은 다른 리듬과 운율을 가지고 있다. 셰익스피어의 운율과 영어의 동음이의어(pun)를 우리말로 번역한다는 것은 불가능한 일이다. 하지만 셰익스피어의 비유들은 여전히 유효하다. 셰익스피어의 언어를 이해함에 있어서, 인물의 사고과정을 이해함에 있어서 비유에 대한 이해는 필수적이다. 인물들은 비유—직유, 은유, 환유, 제유, 대비와 대조 등—를 통해 자신이 알지 못하는 것을 이해하고자 하기 때문이다. 비유는 불가해한 세상 속에 놓인 인간 정신의 가장 고차원적인 활동이고, 비유를 통한 사유를 통해 셰익스피어의 인물들은 인간적 고결함과 존엄성을 획득한다.

말을 한다는 것은 내가 마음속에 떠올리고 있는 것과 생각하는 것을 상대인물의 마음속에, 그리고 관객의 마음속에 떠올리고 내가 하는 생각을 상대와 관객도 함께 생각하게 하려는 노력이다. 그래서, 스타니슬라프스키가 말한 대로, 배우는 상대인물과 관객의 **눈**에 대고 말해야 하는 것이다.

극적 행동으로서 말을 한다는 것은 **항상 상대를 변화시키려는 최선**

의 **노력**이다. 최선의 노력을 기울이면서 내 말에 대한 상대의 반응에 반응하면서 말하는 것이다. 그와 같은 노력의 와중에 나도 변화한다(자신이 할 것이라고 생각하지도 못한 말과 행동까지 하게 된다). 나와 상대에게 일어나는 그와 같은 변화가 극적 주요인물을 연기함에 있어서 가장 본질적인 부분이다. 장면 시작의 두 인물과 장면이 끝났을 때 두 인물은 다른 인물이다. 그리고 달라진 새로운 관계 속에 놓이게 된다.

6.3. 〈맥베스〉 2막 2장 연기를 위한 준비

이제 <맥베스> 2막 2장을 꼼꼼히 들여다보자. 앞서 분석했던 극적 세계에 대한 상상, 관계에 대한 상상, 극적 사건과 행동에 대한 상상, 시선과 동선 그리고 등·퇴장에 대한 상상을 <맥베스>를 통해서 실질적으로 적용해보자.

6.3.1. 극세계의 구조와 배우적 상상

비극의 세계는 최고의 인간을 시험하는 무대이다. 비극의 주인공은 모두 특별한 인간이다. 그리고 그들은 그들이 속한 세계와 싸운다. 끝까지 싸운다. 비극의 세계가 어떤 세계인지를 파악하는 것은 비극의 주인공이 무엇을 **위해**(fight for) 혹은 무엇에 **대항해서**(fight against) 싸우고 있는가를 파악하기 위한 전제이다. 맥베스와 맥베스부인도 그들이 사는 세상과 싸우고 있는 비극의 주인공들로서 특별한 인간이다.

<맥베스>의 극세계는 "아름다운 것이 추한 것이요, 추한 것이 아름다움이다"(21)라는 마녀들의 주문 혹은 예언처럼, 표면적으로 미추나 선악을 구분할 수 없는 세계, 주객이 전도된 세계, 가치혼란의 세계이다. 앞

서 말한 <햄릿>의 세계가 훨씬 더 악화된 세계이며, 악인이 악행을 저지르는 세계가 아니라 선인이 악행을 저지르고 그로 인해 고통받는 세계이다. 바로 그런 이유에서 <맥베스>는 셰익스피어 작품 중에서 매우 현대적인 작품으로 각광받고 있는 것이다.

<맥베스>의 극세계의 이와 같은 본질을 파악하지 않고 이루어지는 인물 창조는 셰익스피어가 의도한 극세계를 구축하기는커녕 오히려 저해할 위험이 크다. 맥베스를 연기하는 배우가 맥베스를 왕을 살해한 악인이라고만 생각하고 인물을 창조한다면, 그가 창조한 맥베스는 가장 상투적인 인물이 될 가능성이 크다. "아름다움이 추함이고, 추함이 아름다움이다"라는 것은 적어도 겉으로 보기에 선한 사람처럼 보이는 자가 악인이고 악인처럼 보이는 자가 선한 자일 수 있다는 것을 의미한다.

셰익스피어는 극 초반에 지나칠 정도로 많은 대사들을 맥베스가 얼마나 훌륭한 인간인지를 찬양하는 데 할애한다. 적어도 극 초반에 맥베스는 누가 봐도 가장 훌륭하고 뛰어난 인간상을 대표하는 인물이다. 즉, 누가 봐도 살인 같은 악행을 저지를 사람처럼 보이지 않아야 한다. 실제로 맥베스는 비극의 주인공이다. 비극의 주인공은 모두 당대 최고의 인간상을 구현하는 인물들이다. 맥베스는 알려진 대로 셰익스피어의 모든 주인공들 중에서 가장 아름다운 시를 구사한다. 가장 아름다운 시를 구사한다는 것은 가장 아름다운 상상력을 가졌다는 것이고, 그것이 그를 아름다운 인간이게 한다. <맥베스>가 비극이 되고, 공포와 연민을 불러일으키는 연극이 되는 것은 맥베스라는 뛰어난 인물, 법 없이도 살 것 같은 인물, 사회적으로 존경받는 인물이 죄를 짓고, 죄의식에 괴로워하며, 끝내 자신이 저지른 죄의 대가를 피하지 않고 떳떳이 감당할 때 가능하다.

맥베스 역시 햄릿처럼 보이지 않는 것을 보는 능력, 즉 상상력이 남다르다. 살해 직전 허공에서 단도를 보는 것도 그렇고, 자객을 시켜 죽인 뱅코우의 유령을 계속해서 보는 것도 그렇고, 이런저런 소리들을 듣는 것도 그렇다. 그가 보고 듣고 상상하는 이미지들은 모두 자신의 양심, 혹은 죄의식이 불러일으키는 이미지들이다. 죄 자체를 저지르고 안 저지르고의 문제가 아니라, 도덕적 인간이 죄를 지은 후 겪게 되는 인간 경험을 <맥베스>는 다루고 있다고 볼 수 있다. 흥미로운 점은 정작 자신이 직접 살해한 덩컨왕의 유령은 보지 않지만, 자객을 보내 암살한 뱅코우의 유령은 본다는 점이다. 그만큼 뱅코우에 대한 죄의식이 큰 것은 뱅코우 역시 죽여서는 안 되는 훌륭한 인물임을 맥베스는 알고 있기 때문일 것이다. 덩컨왕의 유령이 보이지 않는다는 것은 그만큼 맥베스가 덩컨왕에 대해 죄책감을 느끼지 않는다는 것을 의미한다. 따라서 덩컨왕이, 표면적으로 보이는 것과는 달리, 몹시 타락한 왕일 가능성이 커지는 것이다.

고의는 아니었지만 폴로니어스를 죽이고 나서 햄릿은 자신의 살인 행위에 대해 아무런 죄의식도 느끼지 않는 것처럼 보이지만, 맥베스는 죄를 계획하는 단계에서부터, 죄를 저지르는 그 순간에도, 죄를 저지르고 나서도 끝없는 양심의 가책과 죄의식에 괴로워한다. 오히려 선인처럼 보이는 덩컨왕이나 두 왕자, 맥더프에게서 우리는 사악한 점을 더 많이 찾아낼 수 있다. 덩컨왕과 왕자들은 맥베스의 성을 찾아 환락을 즐기며, 왕자들은 아버지의 살해 소식을 듣고 제 한 몸 건사하기에 바쁘다. 맥더프는 자신의 가족은 일체 돌보지도 챙기지도 않고 영국으로 건너가 버린다. 맥더프의 아내와 아들이 잔인하게 살해되는 장면을 셰익스피어는 왜 극 중에 삽입한 것일까? 과연 맥베스의 악행을 강조하기 위해서일까? 맥더프의 선택은 가족과 함께 죽음을 선택한 계백장군의 선택과는 완전히 반대되는 행동이다. 그런 맥더프가 주도한 반정이 과연 맥베스 치하보다 나을 것이라는 보장은 없다. 바로 그것이 <맥베스>의 극세계이며, 배우는 이와 같은 극세계의 구조와 원리, 힘의 법칙, 표면과 이면을 제대로 파악할 때에만 온전히 <맥베스>의 극세계를 구축할 수 있는 인물을 창조할 수 있는 것이다.

맥베스부인은 여성의 존재를 부정하고, 여성의 입지와 역할을 축소시키는 세계와 싸우고 있다. 남자인지 여자인지 구분하기 힘든 마녀들과 맥베스에게 죽임을 당하는 맥더프부인을 제외하고는 여성 등장인물이 존재하지 않는 세계에 맥베스부인은 존재하고 있다. 그녀는 '여성은 ~해야 한다'는 모든 고정관념과 성차별적 사고방식과 싸우고 있다. 맥베스부인의 유명한 대사, "어서 와서 날 나약한 여자로부터 벗어나게 해 다오"(unsex me)는 원어에서는 두 단어로 된 짧은 문장으로 맥베스부인이 무엇과 싸우고 있는지를 말해준다. 맥베스부인은 흔히 여성이 할 수 없다고 생각하는 것은 무엇이든 하려고 한다. 자신이 사랑하는 남자가 최고가 되기를 바라고 그것을 가능하게 하고 실현하기 위해 모든 것을 기꺼이 하려고 하는 맥베스부인을 편견과 선입견 없이 바라보아야 한다.

6.3.2. 관계와 배우적 상상: 관계는 행동에 선행한다

극의 모든 말과 행동은 일차적으로 관계에서 비롯된다. 관계가 달라지면 말과 행동도 달라진다. 관계는 크게 1) 상대인물과의 관계, 2) 시공간(환경)과의 관계, 3) 인물을 사로잡는 내적·외적 이미지와의 관계로 나뉜다.

6.3.2.1. 상대인물과의 관계: 몸의 거리는 마음의 거리

한 인물에게 상대인물은 1) 가장 중요한 사람 2) 존재 자체로 이미

가장 영향을 많이 주는 사람 3) 가장 사랑하는 사람 중 하나이거나 많은 경우 셋 다이다. 기능적인 역할을 하는 인물들을 제외하고는, 그와 같은 관계가 아닌 인물들이 한 장면 안에 들어있는 경우는 없다.

맥베스와 맥베스부인은 부부이다. 서로를 사랑하는 부부인지 아닌지, 사랑을 한다면 얼마만큼 서로를 사랑하고 믿는 부부인지에 따라서 인물들의 언행은 달라진다. 부부는 관계에 따라 부부만의 특별한 언어적·신체적·정서적 소통의 방식을 가지고 있다. 그 방식을 구현할 때에만 두 인물은 부부로 보인다.

맥베스부인이 피 묻은 단검들을 가져다 놓고 오면서 두 사람 손의 색이 같아진다. 똑같이 피로 뒤덮인 두 사람의 손은 위기의 순간을 모면하고 두 사람의 관계가 다시 회복되었음을 시각적으로 보여주고 있다. 그러나 일시적으로 회복되어 보이는 이 관계는 다시 깨어질 위험을 예고하고 있다. 맥베스가 "바다의 신 넵튠이 다스리는 망망대해의 바닷물인들 이 손에 묻은 피를 씻어버릴 수 있을까? 못한다"라고 생각하는 반면, 맥베스부인은 "물만 조금 있으면 핏자국도 이 일도 말끔히 씻어버릴 수 있을 거예요"라는 인식의 차이를 보이기 때문이다. 아이러니컬하게도 맥베스부인은 그렇게 쉽게 씻어버릴 수 있을 것 같은 피 때문에 나중에 몽유병에 시달리게 된다.

6.3.2.2. 시공간과의 관계

모든 인물은, 우리 모두가 그러하듯이, 특정한 시공간 속에 존재한다. 시공간을 떠나서 인물이 존재할 수 없기에 인물을 연기하기 위해서는 인물이 보고 듣고 생각하고 느끼는 것을 선행적으로 규정하는 시공간에 대한 상상이 우선되어야 한다.

셰익스피어 시대에는 극장 구조만을 이용해 공간이 설정되었고 특별한 무대 장치가 없었다. 현대연극에서 무대세트는 사실적일 수도 있고, 상징적이거나 표현적일 수도 있고, 심지어 추상적일 수도 있으며, 셰익스피어 시대처럼 무대장치가 없거나 특정한 실제적 공간 자체를 무대로 활용할 수도 있다. 공연에서 세트가 어떻게 설정되든지에 상관없이 배우는 인물의 주관적인 관점에서 시공간에 대한 상상을 하여야 한다.

인물에게 공간은 크게 둘로 나뉘는데 1) 아는 공간과 2) 낯선 공간이 그것이다. 아는 공간은 다시 1) **사적이고 내밀한 공간** 2) **특별한 기억이 결부되어 있는 공간** 3) 그냥 아는 공간(거의 극화되지 않는다)으로 나뉘며, 낯선 공간은 1) **두려움을 주는 공간**과 2) **호기심을 낳는 공간**으로 나뉜다.

<맥베스> 2막 2장의 배경이 되는 공간은 맥베스와 맥베스부인의 **내실**이다. 매우 사적인 공간으로 밀실이나 마찬가지이다. 사적인 공간은 사적인 말과 행동을 낳는다. 사적인 공간은 인물로 하여금 다른 인물들에게는 절대 보여주지 않는 말과 행동을 하게 한다. 무대(극적 공간)는 사적이고 극장은 공적이다. 그래서 배우에게 연기의 공간은 항상 역설적이다. 극은 배우로 하여금 가장 사적인 것을 광장에서 하듯이 하도록 요구한다.

<맥베스> 2막 2장은 맥베스부인의 독백으로 시작한다. 배우는 단지 맥베스부인의 말을 내뱉는 것이 아니라 사적인 공간이 가능하게 하는 사적인 행동으로 시작하여야 한다. 예를 들어 배우는 기도로 시작할 수 있다. 유의할 점은 매우 사적인 공간에서 이루어지는 기도는 교회에서 하는 기도와는 다른 완전히 사적인 행동이라는 점이다. 맥베스부인이 하는 기도는 계획이 차질없이 실행되고 성공하여 남편이 왕이 되기를 바라는 간절한 기도가 될 것이며, 남편을 향한 맥베스부인의 사랑으로부터 나온 매

우 개인적인 행동이 될 것이다. 대본이 제시하는 대로 술을 마시고 있는 경우로 시작할 경우에도 마찬가지이다. 다른 사람들과 함께 마시는 술이 아니라 사적인 공간에서 혼자 마시는 술은 인물의 사적인 행동이 되고, 맥베스부인이라는 인물의 가장 정직한 모습을 확인할 수 있는 행동이 된다.

밖에서 들려오는 소리	부엉이 소리: "너는 이악스럽게도 마지막 작별을 알리는 불길한 야경이더나" 귀뚜라미 소리 남쪽 문을 두드리는 소리: "아, 저 소리! 또 두들겨요!"
정체불명의 소리	"무슨 소리 듣지 못했소?" "들어봐! 옆방에서 자는 자가 누구지?" "이거 어디서 나는 소리지?"

맥베스 내면에서 들리는 소리	호위병들의 소리: "살인이야!"
	               "하느님, 우리에게 자비를!"
	               "아멘"
	 맥베스 마음의 소리: "더 이상 잠을 못 잔다! 맥베스는 잠을 죽였다."
	                "더 이상 잠을 잘 수가 없다! 글래미스는 잠을 죽였다. 그러니까 코오더는 더 이상 잠을 잘 수가 없다. 맥베스는 더 이상 잠을 잘 수 없다!"

표 7. 〈맥베스〉 2막 2장의 소리

<맥베스> 2막 2장은 소음이 가라앉은 시간에 진행된다. 미세한 소리조차 크게 들리는 시간이기에 소리에 훨씬 더 예민해지고 소리에 크게 영향을 받는다(예민하게 반응한다). 소리는 상상을 불러일으킨다.

<맥베스> 2막 2장은 소리로 가득하다. 이 소리는 극적 공간 밖에서 들려오는 소리와 맥베스의 내면에서 들려오는 소리, 그리고 정체가 불분명한 소리들이다. 이 소리들은 두 부부의 은밀한 공간을 위협하고 침범하려는 소리이자 그들의 계획을 무산시키려는 소리이며, 맥베스 양심의 소

리이자 맥베스 영혼을 흔들고 깨뜨리려는 소리이다.

정체불명의 소리들은 인물에게도 관객에게도 외부에서 들리는 소리인지 맥베스 내면에서 나오는 소리인지 불분명하다. 정체불명의 소리는 더욱 공포를 자아낸다.

6.3.2.3. 인물을 사로잡는 내적 · 외적 이미지와의 관계

<맥베스> 2막 2장에서 인물들을 사로잡는 이미지는 맥베스 내면에서 나오는 소리와 '피'의 이미지이다. 소리는 방향을 가지고 있다. 배우는 무수한 소리들의 방향을 뚜렷이 설정하고 소리에 즉각 반응하여야 한다.

맥베스는 호위병들이 했던 말을 아직도 마음속에 듣고 있다. "살인이야!" "하느님, 우리에게 자비를!" "아멘." 그 소리는 맥베스의 마음에 다음과 같은 소리가 멈추지 않고 계속 들리게 한다. "더 이상 잠을 못 잔다! 맥베스는 잠을 죽였다", "더 이상 잠을 잘 수가 없다! 글래미스는 잠을 죽였다. 그러니까 코오더는 더 이상 잠을 잘 수가 없다. 맥베스는 더 이상 잠을 잘 수 없다!"

피는 맥베스와 맥베스부인 둘 다에게 큰 영향을 주는 이미지이다. 피는 시각적으로만 자극적이고 선명한 이미지에 그치는 것이 아니라 강력하게 후각적이고 촉각적인 이미지이다.

6.3.3. 극적 사건과 극적 행동과 배우적 상상

<맥베스> 2막 2장에서 맥베스와 맥베스부인 사이에는 어떤 사건들이 일어나고 그에 따라 인물들이 어떤 행동을 취하고자 하는지를 파악하는 것이 장면 연기의 열쇠이다. <맥베스> 2막 2장은 맥베스가 덩컨왕을 시해한 이후에 벌어지는 사건에 관한 장면이고, 이 사건은 두 부분의 관

계에 영향을 주는 사건이 된다. 흔히들 착각하듯이, 2막 2장은 덩컨왕 살해에 관한 장면이 아니다. 맥베스는 장면의 끝에 퇴장 직전에 덩컨왕의 이름을 잠시 언급할 뿐이다. 장면 내내 덩컨왕에 대한 언급은 없다. 덩컨왕의 살해가 장면의 사건이 아니라면, 2막 2장의 극적 사건은 무엇인가?

무대에 등장한 맥베스의 첫 대사는 "해치웠소"이다. 즉 계획이 성공했음을 부인에게 알린다. 남편을 왕으로 만들고자 한 자신의 모든 노력과 마음 씀이 헛되지 않고 결실을 맺는 기쁨의 순간이다. "해치웠소" 다음에 이어지는 ". . ."에서 맥베스부인은 기쁨과 남편에 대한 믿음과 사랑을 표현하는 행동을 할 것이다. 하지만 남편은 극도의 불안증세를 보이기 시작한다. 맥베스부인은 남편을 진정시키고 위로하고자 하며, 다그치기도 하면서 남편이 평정을 되찾을 수 있는 최선의 시도를 한다. 계획이 성공한 이상 남편의 일시적인 불안증세는 궁극적으로 가라앉을 것으로 맥베스부인은 생각한다.

그러나 뜻밖의 치명적인 위기가 찾아온다. 맥베스가 살인의 증거인 단검을 들고 온 것이다. 단검은 모든 계획을 성공시키는 데에 결정적 역할을 할 단서로 반드시 보초들의 손에 들려져야 한다. 맥베스는 겁에 질리고 다리가 풀려 더 이상 아무런 구실도 하지 못한다. 모든 것이 수포로 돌아갈 위기에 처한다. 이때 맥베스부인이 행동한다. 할 수 있어서가 아니라 해야만 하는 행동이기에 기꺼이 감행한다.

이 선택은 이후에 밝혀지지만 맥베스부인의 내면에 깊은 트라우마를 남긴다. 남편이 조금만 더 용기를 내어주었더라도 자신의 영혼이 그렇게 지워지지 않는 피 냄새에 고통받지는 않았을 것이다. 어쨌든 맥베스부인은 피로 물든 자신의 손을 남편에게 보여주며 자기 자신의 손도 남편 손의 색과 같아졌다는 것을 시각적으로 각인시키며 남편의 죄의식을 진정시키고 남편이 혼자가 아님을, 자신이 무엇이든 언제까지나 함께할 것임을 증명하며 부부관계를 회복한다.

계획의 성공을 충분히 기뻐할 틈도 없이 찾아온 무산의 위기를 대담한 행동으로 극복하고 부부관계를 회복하는 것이 <맥베스> 2막 2장의 극적 행동이고 이 행동은 맥베스부인이 주도한다.

6.3.4. 시선·동선과 배우적 상상

맥베스와 맥베스부인의 시선은 끊임없이 앞서 언급한 외적·내적 이미지들을 향한다. 그 이미지들의 방향은 관객이 볼 수 있는 각도로 그리고 각기 다른 방향으로 설정되어야 한다. 인물이 무대에 혼자 있는 경우엔 전적으로 외적·내적 이미지를 보고 듣고 있는 상태여야 한다. 그 이미지들은 시각적·청각적·후각적·미각적·촉각적 이미지들로서 내적 이미지들조차도 배우는 관객이 있는 방향에 상상의 캔버스(그림판)를 설정하고 그 위에 자신의 상상을 그려야 한다. 내적이라고 해서 안으로만 상상하게 되면 관객이 볼 수 없고 인물과 함께할 수 없다.

인물이 무대에 혼자 있는 순간들은 영화로 치면 클로즈업과 같은 것으로서 인물의 눈이 관객에게 보이는 것이 무엇보다 중요하다. 독백의 순간은 관객이 인물에 대해 가장 많은 것들을 알게 되는 순간이다. 독백이 끝났는데도 관객이 배우＋인물의 편이 되지 못한다면 배우가 연기를 제대로 했다고 보기 어렵다.

맥베스가 등장하면서부터 맥베스부인의 시선은 끊임없이 맥베스를 향하고 그의 상태가 불안정해지면 질수록 더더욱 눈을 떼지 않고 남편을 예의주시해야 한다. 그리고 남편의 시선이 향하는 곳으로 시선을 따라갔다가 다시 맥베스로 돌아와야 한다. 맥베스와 맥베스부인이 함께 있는 순간들에서 두 인물의 시선이 마주치는 순간은 별로 없다. 맥베스의 시선이 계속적으로 자신의 이미지가 있는 방향을 향하기 때문이다. '자신을 보지 않는 맥베스'를 '자신을 보는 맥베스'로 바꾸어놓기 위해 맥베스부인은 최선을 다한다. 유일하게 시선이 마주하는 순간은 맥베스부인이 단검을 놓고 돌아와서 자신의 손도 맥베스처럼 피로 물들었다는 것을 남편에게 보여주는 순간이 될 것이다. 두 인물은 피로 얼룩진 손을 마주 잡고 한마음으로 함께 피를 보고 서로를 본다. 일시적으로 두 인물은 관계를 회복하는 것이다. 하지만 퇴장하면서 두 인물의 시선은 다시 엇갈린다. 이와 같은 시선의 흐름은 두 인물이 결국은 결별하게 되리라는 것을 예고하는 것이다.

등·퇴장	무대 위에 존재하는 인물
	맥베스부인
맥베스 등장	맥베스 + 맥베스부인
맥베스부인 퇴장	맥베스
맥베스부인 등장	맥베스 + 맥베스부인
맥베스부인 퇴장 맥베스 퇴장	

표 8. 〈맥베스〉 2막 2장의 등·퇴장

짤막한 장면이지만 <맥베스> 2막 2장에서의 인물들의 등·퇴장은 흥미로운 패턴을 보인다. 앞의 도표에서 확인할 수 있듯이, 맥베스부인 혼자 있는 상태에서 두 부부가 함께하는 순간이 이어지고 다음에 맥베스가 혼자 남았다가 다시 두 부부가 함께하게 된다. 하지만 퇴장의 순간엔 다시 두 부부의 발걸음이 어긋나게 된다. 맥베스부인이 먼저 퇴장을 시작하고 맥베스가 뒤따르는 것이다. 이와 같은 등·퇴장의 패턴은 중요한 사건을 계기로 두 인물 사이에 반복될 '유대와 결별'을 형상화하면서 궁극적 결말을 암시하고 있다.

인물이 혼자 있는 순간과 다른 인물과 함께 있는 순간에는 큰 차이가 존재해야 한다. 모든 인물들은 다른 인물이 있을 때 그 관계에 따라서 다른 모습을 보인다. 인물이 혼자 있는 순간은 가장 정직한 순간으로서 다른 인물이 존재할 때에는 보이지 않는 모습들이 드러나야 한다. 맥베스 부인이 곁에 있는 상태에서 맥베스가 보이는 불안과 혼자 있는 동안에 보이는 불안은 그 정도가 달라야 한다. 짧은 순간이지만 무대에 혼자 남겨진 맥베스는 세상에 혼자 버려진 느낌을 갖게 될 것이다. 오로지 악몽의 이미지들만이 자신과 영원히 함께할 것 같은 저주에 휩싸이게 된다.

III. 맺음말

이상에서 배우가 희곡과 대본을 읽고 분석함에 있어서 인물의 상상을 선행적이고 근본적으로 규정하는 극세계의 구조, 시공간, 관계에 대해 살펴보았다. 그리고 극적 사건과 극적 행동을 읽어내기 위한 노력과 더불어, 한순간도 중단되지 않는 인물의 시선과 상상이 어떻게 움직임으로 연결되는가에 대해서도 알아보았다.

'대본 분석'(Script Analysis)이라는 제목하에 쓰인 대부분의 기존 책들은 극의 구성요소들—플롯, 인물의 초목표와 동기, 행동과 장애, 주어진 상황 등—에 대한 정의와 설명들로 구성되어 있다. 그 옛날 아리스토텔레스의 『시학』에서부터 시작된 그와 같은 분석의 노력들은 의심할 여지 없이 값진 것임에 틀림없다. 극과 극의 구성요소들을 잘 이해하는 것은 좋은 연기에 선행하는 것이지만, 극의 구성요소들에 대한 이해만으로 연기를 잘하게 되지는 않는다. "설계도가 집이 아니고 조리법이 케이크가 아닌 것과 마찬가지로 대본 자체가 연극은 아니다"(Waxberg x). 조리법을 그대로 따라서 만든다고 일품요리가 만들어지는 것이 아니다. 최고의 요리가 되기 위해서는 여전히 음식을 만드는 요리사의 마음과 정성과 손길이 모든 것을 좌우한다. 흥행공식을 따라서 작품을 만든다고 작품의 흥행이 보장되지 않는다. 흥행이라는 것은 많은 사람들의 마음을 움직일 때 가능한 것인데, 관객들의 마음을 움직이는 힘은 기계적인 공식에서 생겨나지 않는다. 그것은 마치 테네시 윌리엄스의 <여름과 연기> 8장에서 주인공 앨머와 존이 해부도를 두고 벌이는 논쟁 같은 성격을 가지고 있다. 앨머는 인체 해부도 어디에도 나와 있지 않지만, 그래서 눈에 보이지는 않지만, 인간의 영혼은 분명 거기 어디에 있다고 항변한다. 인체 해부도를 보면 인간의 몸이 어떻게 구성되어 있는지는 알 수 있지만, 어떻게 인간의 몸이 살아 움직이는지는 전혀 알 수가 없다. 극의 모든 구성요소들이 생생하게 살아나는 것은 분명 배우의 연기를 통해서이다. 인간의 영혼처럼, 극의 모든 구성요소들을 관장하고 그것이 살아 움직이고 그로 인해 작가가 말하고자 하는 모든 이야기가 관객에게 전달될 수 있게 하는 것은 바로 **배우의 상상력**이다. 따라서 대본 분석의 기본과 핵심은 배우적 상상의 관점에서 기술되어야 한다. 즉, 좋은 대본 분석은 배우로 하여금 무엇을 어떻게 보고 듣고 생각하고 상상할 수 있는가를 말해주거나 자극해주어야 한다. 극을 구성하는 요소들에 대한 용어들이 배우들의 상상을 촉진하는 방향으로 재정의되고 설명될 수 있다면 훨씬 더 효과적인 것이 될 것이다.

보다 중요한 것은 배우가 평소 다른 이의 대본 분석에만 의존하는 것이 아니라, 자신만의 상상력으로 희곡과 대본을 읽는 것이다. 스텔라 애들러는 대본 해석이 배우의 직업이라고 선언하면서 "배우가 해야 할 일은 연기하는 것이 아니라 해석하는 것이다'(*Stella* 4)라고 하였다. 대본을 읽을 수 없다면 스스로를 배우라고 부를 수 없다는 애들러의 견해는 배우를 예술가로 자리매김함에 있어서 매우 중요한 언급이다. 스스로 상상할 수 있고 자신만의 고유한 상상으로 작품에 기여할 수 있는 배우만이 예술가라고 불릴 수 있을 것이다.

　　인물의 상상이 주관적인 것만큼 배우의 상상은 주관적일 수밖에 없다. 바로 그런 이유로 배우의 상상이 장려되기보다는 오히려 억압되어 왔다고 할 수 있다. 하지만 객관성이라는 것은 단순히 학자에 의한 학문적인 분석으로 담보되는 것이 아니다. 희곡 분석에 대한 객관성은 다양한 예술가들의 다양한 분석과 상상이 총체적으로 모이면 모일수록 더 커지는 것이다. 항상 한 가지 해석은, 그것이 학문적인 해석이든 연출적인 해석이든 배우적인 해석이든, 하나의 상상일 뿐이다. 희곡은 개인적인 상상이 아닌 집단적인 상상을 위한 재료이다. 더 많은 해석과 더 다양한 상상만이 희곡을 온전하게 읽을 수 있게 한다. 왜냐하면 희곡 자체는 본질적으로 많은 예술가들의 상상을 기다리는 **미완성의 예술형식**이기 때문이다. "대본은 배우, 디자이너, 기술자, 연출 그리고 마지막으로 관객의 예술적 공헌과 결합되기 전까지는 미완성인 상태이다. . . . 공연예술은 예술가들의 협력적인 공헌이 필요하고 바로 이런 이유로 대본은 의도적으로 미완성이다"(Waxberg ix). 연극은 중단 없는 그리고 결코 되돌릴 수 없는 하나의 긴 호흡을 가진 살아 숨 쉬는 예술이고, 순간에서 순간으로 이어지는, 상상에서 상상으로 이어지는 이미지의 흐름이다. 심장박동처럼 극적 순간들을 꿈틀거리게 하는 상상들을 모조리 발견하기 위해 그렇게도 많은 예술가가 공연 제작에 참여한다. 연극 제작에 참여하는 "모든 예술가는 다른 예술가들의 해석과는 구분되는 자신만의 해석을 선명하게 할 수 있는 강력한 예술적 선택을 해야만 한다"(Knopf ix). 그렇게 희곡은 연출가와 배우를 비롯해 여러 예술가들의 독자적이면서도 상호협력적인 상상의 총체로서 비로소 관객들의 눈앞에 선보여진다. 극작가가 창조한 "대본이 다른 예술가들의 공동작업에 의해 공연으로 자라나는 것이다. 각각의 예술적 선택, 기술적 발명, 그리고 극적 해석이 모두 모여 극작가가 심어 놓은 아이디어가 완전한 생명체로, 가능한 가장 소통 가능한 형태로 태어나게 되는 것이다"(Waxberg ix).

희곡이 연극화와 관련된 모든 예술가들의 상상에 의해서 완성될 수 있는 것이라면, 희곡을 읽고 해석하고 상상하는 방법도 여러 예술가들과 학자들에 의해서 다양하게 이루어져야 할 것이다. 각각의 예술가들과 학자들의 고유하고 독특하고 주관적인 상상들이 모이면 모일수록 희곡에 대한 이해는 더 넓고 깊어질 것이며, 더 좋은 연극 작품이 탄생할 수 있는 토양이 마련될 것이다. 그와 같은 집단적인 상상의 과정에 있어서 연극의 중심을 차지하는 배우의 기여는 상대적으로 매우 미미한 것에 그쳐왔다. 그것은 배우적 상상을 장려하고 독려하고 가능하게 하는 배우적 독서법에 대한 연구가 미흡했기 때문이다. 배우 개개인의 개별적이고 주관적인 상상과 독서가 모이고 축적될 수 있다면, 희곡에 대한 배우의 이해는 더욱 넓고 깊어질 것이다. "희곡 읽기는 아무리 반복되어도 지나치지 않다"(김미혜 42). 배우는 연기적 상상력으로 하나의 희곡을 읽고 또 읽어야 하며, 희곡에 대한 다른 배우들과 연출가들의 상상을 눈여겨보아야 하고, 희곡에 대한 여러 학자들의 견해를 참고하여야 한다.

본 연구는 배우적 상상의 확산을 위한 노력이며, 동시에 배우적 상상이 더욱더 연출적 상상과 학문적 해석과 결합하길 바라는 제언이다. 같은 대본에 대한 연기·연출·비평적 해석이 배우들에게 함께 제시될 수 있다면, 배우들에게는 더할 나위 없이 좋은 상상의 토대가 마련될 것이며, 희곡에 대한 이해의 지평이 한없이 넓어질 것이다.

참고문헌 __

• 1차 문헌

와일드, 오스카. <살로메>. 오경심 옮김. 『오스카 와일드 희곡선집』. 이화여자대학
　　　교출판부. 2010.
이강백. <동지섣달 꽃 본 듯이>. 『이강백 희곡전집6』. 평민사. 1992.
셰익스피어, 윌리엄. <맥베드>. 신정옥 옮김. 전예원. 1991.
＿＿＿＿＿＿＿＿＿. <리어왕>. 최종철 옮김. 민음사. 2005.
＿＿＿＿＿＿＿＿＿. <리처드 3세>. 신정옥 옮김. 전예원. 1996.
＿＿＿＿＿＿＿＿＿. <한여름 밤의 꿈>. 최종철 옮김. 민음사. 2008.
＿＿＿＿＿＿＿＿＿. <햄릿>. 신정옥 옮김. 전예원. 2007.
＿＿＿＿＿＿＿＿＿. <햄릿>. 강태경 옮김. 새문사. 2013.
셰퍼, 피터. <에쿠우스>. 강태경 옮김. 지식을만드는지식. 2016.
체홉, 안톤. <갈매기>. 이주영 옮김. 『체호프 희곡 전집 II』. 연극과인간. 2000.
Williams, Tennessee. *Four Plays*. New York: Signet Classic. 1976.

• 2차 문헌

강태경. 『연출적 상상력으로 읽는 밤으로의 긴 여로』. 경문사. 2010.
＿＿＿. 『호모 아메리카노』. 홍문각. 2019.
김미혜. 『대본분석－이론과 실제: 텍스트에서 공연까지』. 연극과인간. 2008.
김준삼. 『메소드연기로 가는 길』. 동인. 2008.
남상식. 「'보기'의 실험, '시선'의 공연」. 『한국연극학』 제55호. 91-122. 한국연극
　　　학회. 2015.
도넬란, 데클란. 『배우와 목표점』. 허순자·지민주 옮김. 연극과인간. 2012.
미첼, 케이티. 『연출가의 기술』. 최영주 옮김. 태학사. 2009.
바튼, 존. 『셰익스피어 연기하기』. 김동욱 옮김. 성균관대학교 출판부. 2005.
블룸, 마이클. 『연출가처럼 생각하기』. 김석만 옮김. 연극과인간. 2001.

스타니슬라프스키. 『배우수업』. 신겸수 옮김. 예니. 2001.

＿＿＿＿＿＿. 『성격구축』. 이대영 옮김. 예니. 2001.

여석기. 『나의 햄릿 강의』. 생각의나무. 2008.

애들러, 스텔라. 『입센, 스트린드베리, 체홉에 대하여』. 정윤경 옮김. 연극과인간. 2013.

양경미. 「연기교육에 있어서 대본분석의 중요성과 대본분석 방법에 관한 연구」. 『영화연구』 제52호. 237-54. 한국영화학회. 2012.

이경미. 「현대 연극의 반-연극적 지형－부재와 직조의 미학－」. 『한국연극학』 제40호. 277-305. 한국연극학회. 2010.

이재민. 「뜨거운 배우와 차가운 배우」. 『한국연극학』 제54호. 241-78. 한국연극학회. 2014.

체홉, 미하일. 『배우에게』. 김선·문혜인 옮김. 동인. 2015.

최영주. 『드라마투르기란 무엇인가』. 태학사. 2013.

카르닉, 샤론 마리. 「스타니슬라프스키 시스템: 배우로 가는 길」. 『배우훈련』. 앨리스 호지 편저. 김민채 옮김. 동인. 2017.

한국드라마학회 편. 『장면 구성과 인물 창조를 위한 희곡 읽기』. 태학사. 2014.

Adler, Stella. *Stella Adler on America's Master Playwrights*. Edited by Barry Paris. New York: Vintage Books. 2012.

Cohen, Lola. *The Method Acting Exercise Handbook*. New York: Routledge. 2017.

Donnellan, Declan. *The Actor and the Target*. New York: TCG. 2006.

Hall, Peter. *Shakespeare's Advice to the Players*. London: Oberon Books. 2004.

Kiely, Damon. *How to Read a Play: Script Analysis for Directors*. London: Routledge. 2016.

Knopf, Robert. *Script Analysis for Theatre: Tools for Interpretation, Collaboraton and Production*. New York: Bloomsbury. 2017.

Kott, Jan. *Shakespeare Our Contemporary*. Translated by Boleslaw Taborski. New York: W. W. Norton & Company. 1964.

Stanislavski, Constantin. *An Actors Prepares*. Trans. Elizabeth Reynolds Hapgood. New York: Routledge. 1989.

_____. *Building a Character*. Translated by Elizabeth Reynolds Hapgood. New York: Routledge. 1989.

Thomas, James. *Script Analysis for Actors, Directors, and Designers*. 5th edition. New York: Focal Press. 2014.

Waxberg, Charles S. *The Actor's Script: Script Analysis for Performers*. Portsmouth: Heinemann. 1998.

지은이 **김준삼**

배우, 연출가, 연기코치.
고려대학교 영어영문학과 및 동대학원 졸업 (문학석사)
뉴욕 액터스스튜디오드라마스쿨 졸업 (연기전공 예술학석사)
뉴욕 리스트라스버그연극영화학교 메소드연기과정 수료
극단 블루바이씨클프러덕션 대표 겸 예술감독
경희대학교 연극영화학과 객원교수, 국민대학교 연극영화학과 강사
서강대학교 영상대학원 겸임교수, 성균관대학교 연기예술학과 겸임교수
세종대학교 영화예술학과 겸임교수, 한국예술종합학교 연극원 연기과 강사
고려대학교 영어영문학과 강사, 한양대학교 영어영문학과 겸임교수 역임
2012 한국연극학회 신진우수논문상 수상: 「이미지, 상상, 그리고 반응」
2014 제3회 셰익스피어 어워즈 연기상 수상

출연작 〈이혈〉, 〈벤트〉, 〈비극의 일인자〉, 〈햄릿, 여자의 아들〉, 〈거짓말게임〉, 〈크라프의 마지막 테
        잎〉, 〈실비아〉, 〈유형지〉, 〈정화된 자들〉 외
연출작 〈5필리어〉, 〈스탑 키스〉, 〈엄마집에 도둑이〉, 〈꽃샘추위〉, 〈실비아〉, 〈나처럼 해봐〉 외
저 서 『메소드연기로 가는 길』, 『배우, 시간여행자』

배우적 상상력으로 희곡 읽기

초판1쇄 발행일 ● 2019년 7월 15일
지은이 ● 김준삼 / 발행인 ● 이성모 / 발행처 ● 도서출판 동인
주소 ● 서울시 종로구 혜화로3길 5 118호 / 등록 ● 제1-1599호
Tel ● (02) 765-7145~55 / Fax ● (02) 765-7165 / E-mail ● dongin60@chol.com

ISBN 978-89-5506-807-8   정가 13,000원